S0-BQY-553

Akemi Tanaka

LE POUVOIR DU CHŌWA

Akemi Tanaka

Akemi Tanaka descend d'une famille de samouraïs qui a combattu aux côtés d'Ōta Dōkan, célèbre poète-guerrier japonais du xvᵉ siècle. Elle a grandi au Japon mais vit désormais avec son époux anglais à Londres, où elle s'est spécialisée dans la communication interculturelle entre les deux pays. Elle travaille comme consultante, organise des voyages d'étude et donne des conférences dans des écoles, des universités et des centres culturels. Mme Tanaka a également fondé l'association Aid For Japan, récemment récompensée par le gouvernement britannique pour l'aide qu'elle apporte aux orphelins du tsunami de 2011. Experte de la cérémonie du thé, elle perpétue cet art ancestral avec conscience et révérence, vêtue de l'élégante tenue traditionnelle.

http://www.akemitanaka.co.uk

Dans la même collection

Le Livre de l'Ikigai, Bettina Lemke, janvier 2018
Le Pouvoir du Nunchi, Euny Hong, septembre 2019
Kaizen, Sarah Harvey, janvier 2020

Collection New Life dirigée par Valérie de Sahb
Traduction de l'ouvrage : Timothée Mackowiak

Graphisme de couverture : Laetitia Kalafat
Lecture et correction : Alice Yonnet-Droux
Visuel de couverture : © Daiquiri/Shutterstock
© 2019, Akemi Tanaka (édition originale : *The Power of Chōwa*, Headline Home, 2019)
© 2021 pour l'édition française, New Life, département de Hugo Publishing

34-36, rue La Pérouse, 75116 Paris
www.hugoetcie.fr

Tous droits réservés. Nulle partie de cette publication ne peut être reproduite, enregistrée, transmise de quelque façon que ce soit ni par quelque moyen qu'il soit, sans autorisation préalable de la maison d'édition.
ISBN : 9782755685688
Dépôt légal : janvier 2021
Imprimé à Barcelone par Blackprint

Akemi Tanaka

LE POUVOIR DU CHŌWA

La sagesse japonaise de l'harmonie et de l'équilibre

Hugo ❖ *New Life*

Pour Rimika et Richard

SOMMAIRE

AVANT-PROPOS

Cher lecteur,

Je m'appelle Akemi Tanaka et dans ce livre, je souhaite partager avec vous une approche japonaise traditionnelle de recherche de l'équilibre : le *chōwa*.

Akemi signifie « belle et lumineuse ». Tanaka, mon nom de famille, signifie « au milieu de la rizière », ce qui tombe plutôt bien car je suis née dans une petite bourgade rurale de la province de Saitama, anciennement province de Musachi, en périphérie de Tokyo. Ma famille est la fière descendance d'un samouraï de haut rang ayant combattu au XVᵉ siècle aux côtés du poète-guerrier Ōta Dōkan, architecte de l'ancien château d'Edo, désormais intégré au palais impérial de Tokyo.

Après une éducation traditionnelle, j'ai étudié l'étiquette orientale dans une école spécialisée de la capitale avant d'intégrer l'université de Saitama. Ce fut une époque particulièrement intense de ma vie – le jour, j'étudiais la littérature anglaise et me préparais à devenir professeur et le soir, je travaillais dans un cinéma de Ginza, un quartier bouillonnant de Tokyo. C'est là que j'ai rencontré mon premier mari, un jeune médecin de la haute société. Nous fréquentions des diplomates, des directeurs d'entreprise et des membres de la famille royale. J'ai été formée à l'art de la cérémonie du thé et me suis passionnée pour les codes et protocoles des élites japonaises. Ce fut une merveilleuse aventure, à la *My Fair Lady*.

Pourtant, la vie maritale a vite éveillé des doutes en moi. Je me voyais reproduire tous ces petits gestes qui tenaient depuis tant de générations les femmes à l'écart de la vie publique – la cuisine, le ménage, l'entretien des vêtements – et tandis que je cherchais le courage de changer les choses, à la fois pour moi et pour ma fille, c'est le changement qui m'a trouvée. Mon mari et moi nous sommes séparés. Dans le Japon des années 1980, on entendait très peu parler de divorce, encore moins de familles monoparentales. Cette séparation a fait de moi une véritable paria ; je me suis sentie complètement désemparée, incapable de décider de la marche à adopter pour affronter ce soudain revirement de fortune.

C'est à cette époque qu'une idée a commencé à se préciser dans ma tête. Une certaine façon de penser que je pratiquais sans le savoir depuis toute petite et qui consistait à prêter attention à la fois à mon équilibre (comment je me sentais) et à celui du lieu où je me trouvais (comment les autres personnes se sentaient). Telle une épée qui aurait toujours dormi à mes côtés et m'aurait suivie dans cette nouvelle vie à l'autre bout du monde, cette façon de penser se nommait *chōwa*.

J'ai donc entrepris de transmettre cette sagesse, d'abord en donnant des cours privés à mon domicile, puis en m'adressant à des groupes plus grands, à des lycéens et à des étudiants. J'ai aussi accepté des invitations à la télévision et à la radio. Plus j'enseignais, plus je prenais conscience du fait que les idées, les techniques et les façons de penser sur lesquelles je m'appuyais se rejoignaient toutes dans le concept de *chōwa*. Et j'étais de plus en plus convaincue que le *chōwa* pouvait permettre à beaucoup d'autres personnes de trouver leur équilibre.

Les caractères qui composent le mot *chōwa* signifient « recherche de l'équilibre », mais on les traduit plus simplement par « harmonie ». Le *chōwa* propose des pistes pour résoudre les problèmes et nous aider à équilibrer les forces contraires : à la maison, au travail, au cours de notre éducation et dans nos différentes relations.

Loin d'être une mystérieuse qualité japonaise, le *chōwa* est donc plutôt une sorte de philosophie, un ensemble de pratiques visant à modifier le regard que nous portons sur nous-mêmes et sur les autres. Cette façon ancestrale de penser le monde s'enseigne – et s'apprend. Au prix d'un effort délibéré et conscient de notre part, il nous indique des pistes concrètes pour aborder les défis du quotidien : maintenir nos maisons propres et rangées, parvenir à un équilibre satisfaisant entre vie privée et vie professionnelle, trouver un amour durable. Mais le *chōwa* nous apprend aussi à relever d'autres défis : gérer la mort et les catastrophes, agir avec le courage de nos convictions ou encore aider les autres.

Je vis désormais à Londres. Je suis intervenue à propos de questions relatives au Japon sur la BBC et Channel 4, et dans les pages du *Guardian* et du *Daily Telegraph*. J'ai donné des conférences à Oxford et à Cambridge ainsi qu'au Victoria and Albert Museum de Londres. J'ai reçu un Points of Light Award en reconnaissance du travail de mon association caritative Aid For Japon – que j'ai fondée après le tsunami de 2011 pour venir en aide aux orphelins de la catastrophe – des mains de l'ancienne Première ministre de grande Bretagne, Theresa May.

Plus j'ai partagé et enseigné ma culture, plus extraordinaires j'ai trouvé ces enseignements que je prenais à tort pour acquis et que je m'apprête aujourd'hui à vous transmettre. J'espère qu'ils vous seront aussi utiles qu'à moi.

Akemi Tanaka

Je vous invite à jeter un coup d'œil à mon site officiel :

http://www.akemitanaka.co.uk

Et à me suivre sur les réseaux sociaux :

Twitter : @akemitanaka777
Instagram : @akemitanaka777
Facebook : https://www.facebook.com/powerofchōwa

INTRODUCTION

« Deux pèlerins se croisent le long d'une route. L'un des deux porte un chapeau en paille à larges bords. L'autre non. Il fait une chaleur écrasante. Le bruit des cigales est assourdissant. Les pèlerins n'échangent pas un mot. Ils marchent à une petite distance l'un de l'autre afin de se laisser la place de réfléchir. Après quelques minutes à cheminer ensemble, le pèlerin au chapeau de paille le retire et l'attache à son sac. Ils reprennent leur chemin, côte à côte. »

— Inspiré de *Bushidō*, l'âme du Japon d'Inazō Nitobe[1]

Qu'est-ce que le *chōwa* ?

J'ai toujours trouvé que la définition occidentale de l'harmonie sonnait un peu faux. Elle fleure bon les sourires béats et les slogans « flower power » des années 1970, les anges de porcelaine prenant la poussière sur la cheminée d'une

---

1 Voir la page 56 de l'ouvrage pour le passage ayant inspiré ma parabole.

vieille tante, ou la naïveté de la candidate d'un concours de beauté expliquant prier chaque soir pour la paix dans le monde. De la religion aux relations, elle m'évoque un idéal illusoire, paradisiaque − pas une réalité que la plupart d'entre nous aspirent à atteindre en ce bas monde.

Le mot japonais de *chōwa* en revanche − et bien qu'il puisse se traduire par « harmonie » − se réfère à une situation beaucoup plus pratique. À une façon de vivre. À quelque chose que l'on fait, pour quoi on agit. Il serait donc plus exact de traduire *chōwa* par « poursuite de l'harmonie » ou « recherche de l'équilibre ».

En japonais, *chōwa* s'écrit comme ceci :

調 和

chō − wa
Le premier caractère, *chō*, signifie « recherche ».
Le second caractère, *wa*, signifie « équilibre ».

Chō est un caractère simple aux significations multiples. Il peut s'utiliser au sens littéral (chercher un objet dans un tiroir) ou figuré (chercher une réponse ou l'inspiration). On le retrouve dans le verbe « préparer », où il signifie « trouver l'ordre » ou se tenir prêt pour un défi à venir. Et, à l'instar du terme « harmonie », *chō* s'emploie aussi dans l'univers musical. Visualisez un orchestre qui s'accorde − le mot japonais correspondant est *chō-gen*, soit « préparation de l'archet ». Le caractère *chō* est étroitement relié à ce genre de mise au point : il correspond à une série graduelle de petites modifications ou d'ajustements permettant d'atteindre la bonne note, l'accord collectif.

Wa a également le sens de « paix ». Il peut s'agir d'un nom désignant un état de tranquillité et d'immobilité − pensez ambiance paisible ou mer calme –, ou d'un verbe faisant référence à un acte délibéré de pacification ou d'équilibrage entre deux opposés (ou plus) – personnes, forces ou idées – en vue de trouver un terrain d'entente. Lorsqu'il est utilisé comme verbe, ce caractère revêt donc un sens actif – pas simplement comme le nom « paix », mais comme un acte d'apaisement, de modération et de soulagement. Enfin, le *wa* de *chōwa* se rapporte au Japon lui-même, en particulier au Japon traditionnel. Les vêtements japonais sont *wa-fuku*, le style japonais est *wa-fu*, et *washoku* fait référence à la fois à la nourriture japonaise et à un régime équilibré. L'ère qui a débuté au Japon le 1er mai 2019 avec l'ascension sur le trône de l'empereur Nahurito[2] porte, elle, le nom d'ère *Reiwa*, soit ère de la « belle harmonie » ou de « la poursuite de l'harmonie »[3].

Lorsqu'on assemble les caractères *chō* et *wa*, on obtient donc une invitation typiquement japonaise à « chercher l'équilibre ».

Au quotidien, les Japonais utilisent *chōwa* aussi bien sous forme de nom que de verbe. Contrairement à « l'harmonie » française et à ses connotations musicales et spirituelles, le terme japonais s'emploie dans une optique plus quotidienne, plus proche, plus « voyons où le vent nous mène ». Comme tout ce qui s'apprend – les arts martiaux ou la maîtrise d'un instrument –, le *chōwa* se pratique et s'améliore.

---

2 Un nouveau nom d'ère est choisi pour marquer l'ascension de chaque nouvel empereur sur le trône du Chrysanthème. Tout comme les années calendaires occidentales, les noms des ères japonaises apparaissent sur les documents officiels, les calendriers et les billets de banque. Par exemple, 2019 se dit également Reiwa 1.
3 https://www.lemonde.fr/international/article/2019/04/01/la-nouvelle-ere-imperiale-japonaise-a-son-nom-reiwa_5444240_3210.html

La terre de Wa

Avant toute chose, le *chōwa* nous encourage à opter pour des solutions pratiques. Que ce soit dans notre cercle personnel et familial ou, plus largement, dans la vie de la communauté, le *chōwa* invite à trouver l'équilibre via des procédés paisibles. Il nous pousse à considérer nos propres besoins et désirs de façon objective et à les combiner aux besoins et désirs des autres afin de bâtir une paix réelle. Cette approche exige une profonde humilité ainsi que la capacité à cultiver le respect des autres et de soi-même.

Pendant très longtemps, cette façon de penser a été considérée comme typiquement japonaise. *Le Livre des Wei*, écrit au IIIe siècle dans le nord de la Chine (alors appelée Wei), relate certaines des premières rencontres avec le Japon, que les Chinois désignaient sous le nom de « Terre de Wa ». Il inclut des extraits de journaux de voyage. Leurs auteurs y rapportent que les habitants de la Terre de Wa « s'inclinent en guise de respect devant les personnes importantes, qu'ils sont amicaux et respectueux des visiteurs »[4]. Ils décrivent aussi l'habitude d'échanger des cadeaux et celle de prier en groupe et en claquant des mains, ainsi que l'amour du poisson cru – des traditions qui perdurent dans le Japon actuel.

Notre plus précieux trésor

Environ 300 ans plus tard, le prince Shōtoku Taishi règne sur un Japon divisé. Il a introduit un système de gouvernance moderne inspiré du modèle chinois, de nouvelles technologies agricoles et une nouvelle religion, le bouddhisme, à laquelle s'opposent farouchement les adeptes de la religion originelle

---

4 Traduction anglaise de ces récits par Tsunoda et Goodrich (1951) pp. 8-16.

du Japon, le shintoïsme. Alors que le shintoïsme – la voie des dieux – invite principalement à apprécier la beauté naturelle et à prier les anciens (ou *kami*) à force de rituels, le concept d'éveil spirituel bouddhiste et ses attentes éthiques fortes ne parlent véritablement qu'aux élites éduquées. Qu'à cela ne tienne. En imposant une constitution pacifique, le prince Shōtoku parvient à établir un compromis national : bouddhisme et shintoïsme se pratiqueront désormais en bonne entente.

Le premier article déclare :

以和爲貴、無忤爲宗。

人皆有黨。亦少達者。

« Une harmonieuse coopération est la chose la plus précieuse, et l'on ne se révoltera pas arbitrairement. [...] Or, les hommes ont chacun l'esprit partisan, et il y a peu de gens impartiaux. »
– Shōtoku Taishi (574–622)[5]

Aujourd'hui au Japon, bouddhisme et shintoïsme ne se contentent plus de coexister ; ils se complètent. (D'ailleurs, la plupart des Japonais se qualifient de shintoïstes ou de bouddhistes, des deux à la fois ou ni l'un ni l'autre.) L'esprit du Japon moderne s'est forgé dans cette réponse pacifique et positive à ce qui aurait pu mener à la guerre et au désastre – dans cette priorité donnée à l'harmonie, devant les préférences

---

5 La Charte de dix-sept articles (*jūshichijō kenpō*) est rédigée en chinois classique et aurait (d'après les *Chroniques du Japon* de Nihon Shoki) été signée de la main du prince Shōtoku en 604. Traduction française par T. Fukase, V. Fukase et Y. Higuchi, *Le Constitutionnalisme et ses problèmes au Japon*, pp. 252-254, note.

ou les intérêts personnels, et même devant les convictions profondes. Le maintien de ces deux systèmes de croyances a mené à l'émergence d'une culture unique, associant une conscience des forces qui créent et gouvernent notre planète à un engagement éthique envers autrui.

À quoi sert le *chōwa* aujourd'hui ?

Le charme qui envoûte la plupart des personnes visitant le Japon relève sans nul doute du *chōwa*. Vous avez peut-être entendu parler des supporters de foot japonais qui s'assurent que le stade est impeccable après chaque match, ou vu des vidéos de trains dans lesquels chacun, même au cœur de la ville la plus animée du monde, s'emploie à cultiver une atmosphère de tranquillité.

Depuis mon départ du Japon et la nouvelle vie que je me suis bâtie en Angleterre, j'ai observé certains aspects de la culture japonaise sous un jour nouveau et en ai envisagé d'autres avec un œil plus critique. Pourtant, quand je parle de ma culture, j'en reviens encore et toujours à ces leçons toutes simples de recherche d'équilibre. Il existe en effet des astuces pratiques à la portée de tous, à utiliser au quotidien pour nous aider dans cette quête.

De nos jours, chercher l'équilibre (et je ne parle même pas de le trouver) est plus facile à dire qu'à faire. On a souvent l'impression de ne pas avoir le temps de penser, d'avancer dans la vie comme un robot : on met le pilote automatique en famille, on espère que les difficultés vont s'évanouir d'elles-mêmes, on passe des heures interminables à travailler en compagnie de collègues dont on a depuis longtemps cessé de se soucier, sans accorder assez de temps à nos proches ou à nous-mêmes. On achète frénétiquement, dans l'espoir que nos achats vont nous faciliter la vie, nous apporter une sorte d'harmonie instantanée ; on essaye d'oublier les conséquences de nos choix sur la nature, ces choix qui perturbent la stabilité de la planète elle-même. Il est plus que temps de se réintéresser les uns aux autres, de prendre une grande inspiration et de laisser entrer un peu de calme dans nos vies. C'est seulement alors que l'on pourra avoir une vision claire de ce qui nous arrive – à nous personnellement et aux gens qui nous entourent. Soit le *chō* de *chōwa* – chercher ou préparer. C'est la première étape de la recherche de l'équilibre.

Puis vient le *wa* : la volonté d'établir une « paix active ». Au début de cette introduction, j'ai parlé de l'harmonie en tant que nom. Si on considère l'harmonie comme un état lointain, un concept ou un idéal, alors elle devient impossible, voire pure fiction. Mais si on l'envisage sous sa forme verbale – vivre en harmonie avec soi-même ou avec les autres – on découvre alors des actes à la portée de tous. Et on comprend que trouver l'équilibre – sur notre lieu de travail, dans nos relations personnelles, dans la société – consiste à rechercher des solutions de façon active, en gardant toujours à l'esprit que nous vivons tous sur la même planète.

Je crois sincèrement que le *chōwa* est une philosophie dont nous pouvons tous profiter – aujourd'hui plus que jamais.

Pour terminer, je souhaite que vous parcouriez cet ouvrage sans jamais perdre de vue qu'à l'image de la parabole d'ouverture, le *chōwa* est un engagement à répondre aussi généreusement et aussi courageusement que possible au monde qui nous entoure. À s'ouvrir aux autres afin de partager aussi bien leurs souffrances que leurs joies. À comprendre que nous aspirons tous à la même chose : l'équilibre.

Le *chōwa* par étapes

Les idées partagées avec vous dans cet ouvrage ne nécessitent pas d'explications supplémentaires. Je vais toutefois faire de mon mieux pour illustrer aussi clairement que possible certains proverbes japonais assez obscurs, et pour relier à des situations universelles les exemples tirés de ma vie, de celles de membres de ma famille ou d'amis vivant au Japon et dont les expériences risquent de vous paraître très éloignées des vôtres. Je vais aussi vous donner l'occasion de faire de petites pauses au fur et à mesure, afin de méditer les pistes proposées, de réfléchir aux questions posées ou de récapituler les points abordés. Mais avant toute chose, laissez-moi résumer le contenu de ce livre.

• Comment cultiver un état quotidien de préparation, de souplesse et d'endurance qui nous aide à trouver notre équilibre ?

• Comment adopter un esprit de bonté envers les autres et mieux gérer les émotions difficiles ?

• Comment apporter de petits changements à notre alimentation (le contenu de notre assiette aussi bien que notre façon de le manger) et à notre attitude vis-à-vis de la nature afin d'équilibrer notre esprit, notre corps et notre âme ?

• Comment affronter la mort et la catastrophe, se préparer au pire en sachant que celui-ci adviendra, et s'en relever ?

I

TROUVER NOTRE ÉQUILIBRE

第一章

1

OUVRIR DES PORTES

*« Devant chaque seuil
la boue des sandales de bois.
Le printemps revient. »*

Issa (1763-1827)[6,7]

Le Japon compte certaines des plus anciennes structures
en bois du monde, dont de nombreuses maisons traditionnelles
qui, bien qu'elles affichent parfois une rare élégance, sont pour
certaines loin de correspondre aux critères de « beauté » actuels.
Elles incarnent pourtant à mes yeux l'architecture japonaise
typique. En effet, au-delà de leur apparence minimaliste ou de
l'agréable simplicité *wabi-sabi*, chaque pièce et chaque élément
de mobilier résultent d'un savant mélange de prévoyance, de
planification, de recherche et de maintien de l'équilibre – entre
le rythme de la nature, celui de la vie familiale et l'harmonie
de la maison en elle-même.

---

6 Version anglaise tirée du recueil *The Complete Japanese Classics* (1953).
7 Ndt : traduction française effectuée par la traductrice de l'ouvrage qui ne prétend
aucunement maîtriser l'art ancestral qu'est la poésie haïku.

Pour vous, je souhaite tirer les leçons clés de *chōwa* qui se nichent dans les poutres de bois, les *shōji* (panneaux en papier translucide), les *tatamis* et les actes quotidiens par lesquels la maison japonaise se fait foyer – comment habiter la maison, mais aussi comment exprimer notre gratitude envers nos lieux de vie. Au premier abord, il se peut que vous soyez surpris par ces petits gestes de reconnaissance : nettoyer les toilettes, préparer une chambre pour un invité inattendu, sécher les vêtements, prendre un bain, ou rentrer chez soi.

Dans ce chapitre, j'aimerais que nous nous penchions sur les leçons de *chōwa* suivantes :

• **Respecter le rythme de votre maison.** Je souhaite que vous réfléchissiez à ce que chaque espace de votre lieu de vie pourrait attendre de vous et au sens profond de chaque habitude. En restant à l'écoute des besoins de notre maison, nous pouvons apprendre à être véritablement présents dans notre foyer.

• **Accorder votre maison à la nature.** Le *chōwa* consiste à accepter le monde tel qu'il est et à se réconcilier avec les aléas du temps. À accepter l'usure naturelle. À accepter la survenue de catastrophes aussi soudaines qu'inattendues.

Vous trouverez également quelques pistes pour réintroduire la nature dans votre quotidien.

Wabi-sabi et *chōwa* – quelle différence ?

Depuis des siècles, la maison japonaise fascine les architectes et architectes d'intérieur. Cependant, il ne s'agit pas ici de ressasser des sujets et concepts déjà maintes et maintes fois traités – le minimalisme japonais et le *wabi-sabi*, pour ne citer qu'eux – et dont vous êtes peut-être déjà familier. Avant de vous inviter à pénétrer dans l'intimité d'une maison japonaise, je tiens donc à définir clairement la différence entre le *chōwa* – « la recherche de l'équilibre » – et le *wabi-sabi* – la beauté imparfaite, fragile ou la simplicité naturelle.

Wabi-sabi. Qu'est-ce que c'est ? Le *wabi-sabi* évoque la beauté fragile, ou la simplicité naturelle. C'est la conscience que rien n'est éternel, que tout a une fin. Ce concept bouddhiste a inspiré les grandes œuvres de l'art et de la poésie japonaises, et influencé l'architecture et l'agencement des maisons traditionnelles[8].

Jun'ichirō Tanizaki me vient immédiatement à l'esprit. Dans *Éloge de l'ombre*, son court livre sur l'esthétique japonaise, l'écrivain loue l'élégance traditionnelle et la beauté mélancolique des vieilles maisons nippones – il célèbre le grain des vieux sols en bois ou la pluie ruisselant sur la mousse accumulée au pied d'une lanterne de pierre.[9]

Le *chōwa* : la recherche de l'équilibre – Penser *chōwa*, à la fois pour nos maisons et tout au long de ce livre, permet de se concentrer sur le processus, sur l'*action* d'équilibrer. Le *chōwa* nous aide à déterminer nos besoins pour nous sentir mieux préparés au quotidien, même au pire. C'est un travail difficile, qui ne se fait pas tout seul. Il implique de se lancer et d'agir pour amener de l'équilibre dans nos vies. Mais penser *chōwa* nous oblige aussi à accepter que nous n'atteignions jamais cet état sacré d'équilibre ou d'harmonie. J'irai même jusqu'à dire que *n'importe quelle* sorte d'équilibre n'est jamais rien d'autre qu'une action équilibrante.

---

8 Pour en découvrir davantage sur le *wabi-sabi*, voir B. Kempton (2018).
9 Tanizaki (2001), p. 4.

Le *wabi-sabi* et le *chōwa* ont donc des points communs. En effet, pour se sentir en équilibre, il est nécessaire de voir le monde tel qu'il est – et donc d'accepter l'harmonie parfaitement imparfaite de la nature. Mais je veux que vous gardiez à l'esprit que notre sujet est loin de se résumer au *wabi-sabi* (bien que cet emprunt fourre-tout serve parfois de synonyme à « japonisant ») et à ses notions esthétiques. Nos comportements envers nos logements – au Japon et où que l'on vive sur la Terre – ne se limitent pas à cultiver l'idée japonaise de la beauté mélancolique. Après tout, nous habitons tous au quotidien ces espaces que nous appelons maisons.

La maison *chōwa*, chez vous – Lorsque vous visitez un logement japonais, peut-être pensez-vous : « C'est bien beau tout ça, mais comment puis-je appliquer ces leçons à ma propre vie ? »

Telle une langue, une maison obéit à sa propre grammaire. Et si l'enseignement du japonais m'a appris une chose, c'est bien qu'expliquer la grammaire à un locuteur non natif n'est pas une mince affaire. Lorsqu'il s'agit de faire entrer le *chōwa* chez vous, je ne vous demande pas d'abandonner vos habitudes – votre façon de vous détendre, d'exprimer votre affection aux personnes avec qui vous vivez ou de prendre soin de votre logement. Malgré toute notre volonté, certains aspects de nos vies domestiques restent figés : nous choisissons notre logement parce qu'il correspond à notre budget, est proche de notre lieu de travail ou assez spacieux pour accueillir notre famille.

Je ne vous demande pas non plus de remanier l'intégralité de votre intérieur – nul besoin de remplacer votre moquette par des *tatamis* ou vos portes et fenêtres par des *shōji* coulissants. Je souhaite simplement vous présenter certaines leçons de *chōwa* tirées de la maison japonaise, notamment pour vous permettre de vous préparer au mieux – à l'arrivée inattendue de visiteurs comme à des changements de vie plus radicaux. Car, où que nous vivions, nous sommes tous capables de faire entrer le *chōwa* chez nous : d'écouter plus attentivement ce que notre maison veut nous dire, afin qu'elle nous offre ce dont nous avons besoin en retour.

Veuillez vous laisser guider avec la conscience que les espaces décrits seront probablement différents de ceux dont vous avez l'habitude. Je vais faire de mon mieux pour vous permettre de gommer les décalages et de faire entrer l'esprit *chōwa* chez vous.

La maison de famille des Tanaka

Je vous invite maintenant à faire un bond de cinquante ans en arrière pour visiter la maison de mon enfance, dans la province rurale de Musashi, au nord de Tokyo. Cette province n'existe plus aujourd'hui. La région dans laquelle j'ai grandi est la Saitama moderne.

En vous rendant à pied à la maison depuis la gare, vous n'apercevez que des champs à perte de vue. Vous passez devant une petite ferme. L'année n'est pas encore bien avancée mais, à voir le tapis d'un vert profond qui recouvre une petite parcelle, vous devinez que le *daikon* (radis d'hiver) a été planté en prévision du printemps à venir. Vous dépassez le cimetière d'un temple et son saule bon à tailler. Vous entendez un coup de gong et deux bruyants claquements de mains. Quelqu'un récite une prière.

Juste après le temple et le cimetière, vous bifurquez pour emprunter une piste grossière, et approchez d'un grand bâtiment en bois. À votre gauche, des étables en ruines. À votre droite, une cabane devant laquelle vous apercevez un panier rempli de petits œufs en peluche. Ce sont des cocons de vers à soie. La petite cabane est en réalité une ferme de vers à soie destinée à produire la soie des kimonos. Vous continuez vers l'entrée de la grande bâtisse en bois. Ses corniches saillantes sont recouvertes de tuiles d'argile *kawara* et soutenues par des piliers de bois sombre. Vous montez les trois marches de pierre qui mènent à l'entrée. Vous cherchez une sonnette ou un heurtoir mais n'en voyez aucun. Vous faites coulisser la porte avec précaution et pénétrez dans la maison.

«Je vous en prie, montez!» : élan positif et préparation – Vous vous tenez désormais dans le hall d'entrée, ou *genkan*. Les appartements japonais modernes disposent toujours d'un *genkan*. C'est ici que les invités retirent leurs chaussures et que les habitants accueillent les visiteurs. Comme il s'agit d'une maison traditionnelle, vous pouvez apercevoir un *getabako* au-dessus d'un cabinet à chaussures. Le vase contenant une branche de prunier en fleurs vous rappelle qu'en dépit des températures encore hivernales, les premiers balbutiements du printemps sont déjà perceptibles.

Une voix vous parvient depuis l'autre bout du couloir. Je vous attendais et je crie :

O-agari kudasai !

Cette salutation signifie : « Je vous en prie, entrez » – littéralement « Je vous en prie, montez ». En effet, une marche sépare le *genkan* du couloir et il est d'usage d'ôter ses chaussures au passage, d'un seul mouvement. Par manque d'habitude, vous risquez de fouler le sol de la maison avec vos chaussures. Au fil du temps, ce mouvement devient naturel.

Vous remarquez que toutes les autres paires sont alignées contre la marche, face à la porte. Vous faites de même et orientez vos chaussures de façon que les orteils pointent vers l'entrée. Au moment de partir, vous pourrez ainsi glisser vos pieds directement dans vos souliers.

Ce n'est qu'un petit exemple du *chōwa* en action : le *chōwa* consiste à être prêt à chaque instant pour faire face au suivant – de petits gestes qui nous préparent à un futur incertain.

Conscientiser l'attention aux autres : «Va en toute sécurité et assure-toi de revenir» – Lorsqu'un membre de la famille quitte la maison, il déclare :
I-tte-ki-ma-su
Soit : « Je m'en vais et je reviendrai ».

La personne qui reste à la maison lui répond :
I-tte-rassha-i
Soit : « Va, je t'en prie, et assure-toi de revenir ».

La tension déchirante contenue dans ce rituel du quotidien – entre notre désir de voir revenir les êtres aimés et notre conscience de la possibilité (trop horrible à seulement imaginer pour beaucoup) que cela n'arrive jamais. Si vous avez déjà veillé tard dans l'attente de l'appel d'une personne qui vous est chère ou de son retour à la maison après une absence plus longue que prévue, vous savez de quoi je parle. Par ce rituel, nous nous engageons à nous préparer à faire face à ce que le monde extérieur nous réserve, car les catastrophes naturelles sont si fréquentes au Japon qu'il faut constamment s'attendre au pire. Cela explique en partie pourquoi nous disons « assure-toi de revenir », pourquoi nous laissons un sac de survie spécial tremblement de terre à l'entrée de la maison et pourquoi nous déterminons un point de rendez-vous où toute la famille se retrouve en cas d'urgence.

C'est l'un des messages centraux et récurrents du *chōwa* : vivre en harmonie avec nous-mêmes et avec les autres consiste à faire correspondre nos paroles et nos actes. La recherche de l'équilibre familial et domestique commence donc par la verbalisation de nos espoirs et de nos craintes afin de conscientiser notre attention aux autres.

Il s'agit d'un point auquel j'ai dû particulièrement réfléchir ces derniers temps, car tous les membres de ma famille ne parlent plus japonais. Aussi, je ne peux plus m'appuyer sur ces rituels et dois trouver des façons d'exprimer en anglais ma chance de vivre avec les gens que j'aime. C'est parfois compliqué. Mais dans la mesure où on ne sait jamais de quoi demain sera fait, je vous recommande de faire de même.

Tatami : trouver l'équilibre chez soi, trouver l'équilibre dans la nature – Une fois monté dans la maison, vous longez un couloir au bout duquel se trouve une pièce entièrement couverte de *tatami*. Marcher pieds nus sur un tatami donne l'impression de marcher sur de l'herbe sèche. Les tatamis sont fabriqués à partir de paille de riz finement tressée. Leur odeur me rappelle celle du thé, d'une part car il est d'usage que la cérémonie du thé se déroule dans une pièce recouverte de tatami, et de l'autre, car le parfum de la paille de riz m'évoque le *gen-mai-cha* (thé de riz brun). Pour se déplacer sur des tatamis, les gens se mettent pieds nus ou – comme c'est mon habitude – portent les *tabi*, des petites chaussettes blanches traditionnelles (il est interdit de porter des chaussures ou des chaussons).

Se concentrer sur la plante de ses pieds, les placer sur le sol à largeur des épaules (et ce, en position assise ou debout) et s'ancrer au sol pour bien respirer... Ces petites astuces constituent une technique de méditation simple visant à procurer une sensation d'équilibre. Je pense que c'est pour cette raison que marcher sur un tatami pieds nus, ou chaussé de chaussettes *tabi*, inspire un tel sentiment de paix – un peu comme marcher pieds nus dans un pré ou dans la forêt.

Dans ma maison londonienne, je n'ai plus de tatami mais je dispose d'un petit jardin. Quand je veux pratiquer mon ancrage au sol, ma connexion à la Terre, je sors et je médite selon cette technique. Si, vous aussi, vous voulez vous ancrer dans votre maison et vous sentir davantage connecté au monde naturel, n'hésitez pas à essayer. Installez-vous dans un endroit calme, debout ou assis, et prêtez attention à votre respiration. Ou tenez-vous debout en extérieur, dans votre jardin, dans un parc ou simplement devant une fenêtre et laissez l'air frais vous pénétrer.

Tout en inspirant par le nez, concentrez-vous sur l'agréable sensation de fraîcheur de votre respiration. Sentez votre souffle emplir votre corps de vitalité, de l'énergie du sol et du ciel.

Recrachez lentement l'air par le nez. L'expiration détend votre corps. Sentez les tensions vous quitter.

Concentrez-vous sur votre inspiration en comptant lentement jusqu'à huit, et comptez aussi jusqu'à huit en expirant. Cette technique de relaxation progressive et naturelle se pratique par tranches de cinq minutes. En vous concentrant sur votre souffle et sur le moment présent, vous aidez votre respiration à s'apaiser et à s'ordonner – et votre esprit à faire de même.[10]

---

10 Cette méditation s'inspire d'une série de méditations en ligne présentée par Taigen Shodo Harada Roshi, abbé du monastère de Sōgen-ji, à Okayama. La vidéo complète de sa brève introduction à la méditation zen est disponible à l'adresse suivante : https://www.youtube.com/watch?v=LL2XUTeoUsM

Les panneaux *shōji* : prévoir l'imprévisible – Imaginez que vous soyez invité chez les Tanaka pour une occasion spéciale. La pièce principale est spacieuse et recouverte de tatamis. Dix personnes ou plus peuvent facilement s'y asseoir en tailleur ou s'agenouiller pour dîner autour de la grande table basse qui occupe le centre de la pièce.

À quelques mètres, de fins rails de bois parcourent le sol de la pièce et séparent les tatamis. Il s'agit des rails destinés aux parois de papier et de bois qui divisent habituellement cette grande pièce en différents espaces pour les membres de la famille. Ces parois peuvent sortir de leurs rails afin d'aménager les lieux de nombreuses façons différentes[11].

Elles font partie intégrante de l'architecture – pas simplement de la maison, mais aussi de l'hospitalité japonaise : elles incarnent un engagement à accueillir un visiteur imprévu à la dernière minute, ou à offrir un espace privé à l'un des membres de la famille devant travailler tard dans la nuit.

Les parois *shōji* ont une fonction pratique supplémentaire. Lorsque le dernier invité entre dans la pièce, pour la cérémonie du thé par exemple, il ou elle referme délibérément et avec fermeté la porte-écran. Le bruit sourd parvient aux oreilles des invités réunis autour de la table, qui savent désormais que tout le monde est présent. Ce bruit indique également à l'hôte que la cérémonie du thé peut débuter.

Anticiper l'imprévu et s'adapter à la vie telle qu'elle vient, au fur et à mesure, voilà en quoi consiste le *chōwa*. Et cela commence par notre façon de traiter notre maison.

---

11 À proprement parler, les écrans servant à diviser les pièces s'appellent les *fusuma*, ils sont faits de papier épais et opaque et servent également de portes de placard. Les *shōji* font office de fenêtres et de portes vers l'extérieur et le couloir, et sont fabriqués en papier de riz blanc et fin, souvent quadrillé.

Est-ce que des tables et chaises pliantes vous aideraient à mieux utiliser l'espace de votre logement ? De plus en plus d'entre nous vivons dans de petits appartements urbains : en assouplissant nos maisons, nous pouvons optimiser l'espace et ainsi travailler, dormir et accueillir nos invités dans la même pièce.

Au Japon, avoir un ameublement équilibré est littéralement une question de vie ou de mort. Lors d'un tremblement de terre, une armoire lourde est susceptible de s'écrouler. Des étagères surchargées de s'effondrer. Cadres et miroirs suspendus risquent de chuter et de propulser des éclats de verre dans toute la pièce. Même quand nous n'avons pas besoin d'envisager ces cataclysmes, je crois que réfléchir à ce sens très littéral de l'équilibre – soit le poids et le nombre d'objets présents dans nos maisons – peut nous aider à affronter davantage de défis et de changements du quotidien, qu'ils soient prévisibles ou non.

Que se passerait-il si vous deviez déménager demain pour une autre ville ou un autre pays ? (Pour le travail, par amour ou pour de longues vacances.) Que feriez-vous de toutes vos affaires ? Pourriez-vous les vendre ? Les donner ? Les entreposer quelque part ? De nos jours, peu de gens vivent toute leur vie au même endroit, en particulier les personnes qui ne sont pas propriétaires de leur logement – il est donc important de garder à l'esprit que les objets légers sont plus faciles à déplacer, à transporter, à vendre et à entreposer. Anticiper ce genre d'équilibre très littéral aide à prendre les décisions importantes avec plus de légèreté.

Où vivent vos amis proches ? Si certains habitent loin, faites-leur savoir que vous pensez à eux. Entretenir votre relation est aussi simple que leur faire savoir que votre porte leur est toujours ouverte. Au Japon, les shōji restent souvent entrebâillées en guise d'accueil.

La relaxation comme forme de préparation – Après vous avoir fait visiter la maison des Tanaka et offert le repas, je vous propose de rester pour la nuit. Peut-être avez-vous manqué le dernier train. Je suis ravie de vous inviter à profiter de la baignoire familiale. Contrairement à leurs cousines occidentales, les baignoires japonaises sont plus profondes que longues et on peut s'y immerger jusqu'aux épaules. La salle de bains est généralement une salle d'eau dotée d'une douche et d'un tabouret de douche, et dont le sol est percé d'une grille pour que s'évacuent les eaux usées. Le bain et la douche sont ainsi séparés dans de nombreuses maisons.

À mes yeux, il est tout à fait logique de se baigner chaque soir. En plus de l'aspect purement hygiénique, s'octroyer un petit temps calme après une journée animée relaxe en profondeur. (De nombreux Japonais passent jusqu'à une heure dans leur bain.) Un bain à la japonaise implique une petite douche préalable. Il peut même nous arriver de retourner nous doucher à plusieurs reprises au cours d'un même bain et on dit qu'entrer et sortir ainsi de l'eau est bon pour la peau. Une fois que nous avons terminé, nous ne vidons pas la baignoire : un autre membre de la famille en profitera.

Prendre un bain en fin de journée permet de jouir d'un moment de tranquillité. De prêter attention à notre voix intérieure. À nos ressentis. À nos pensées. Dans le brouhaha de l'extérieur, difficile d'entendre cette voix. Dans le bain, le corps se détend et l'esprit fait de même. Quoi que les gens aient pu nous dire au cours de la journée, rien ne peut venir perturber cette voix intérieure, cet espace de tranquillité.

• Pourquoi ne pas faire quelques légers exercices dans votre bain, comme des étirements doux ou un massage de la nuque ?

• Avez-vous l'habitude de lire, d'écouter de la musique ou de consulter votre téléphone dans votre bain ? Écartez toutes les distractions – oui, même votre livre. Détendez-vous et écoutez votre voix intérieure. C'est le meilleur moyen que je connaisse de retrouver l'équilibre après une journée chargée.

Lavez-vous en fin de journée plutôt que le matin. Ce petit geste *chōwa*, qui consiste à s'adapter au rythme de votre journée, offre plus d'un avantage – il évite de se presser le matin et garde le lit propre. Après tout, si on va au lit avec les cheveux sales, on salit l'oreiller.

Tadaima, ou s'entraîner à «être là» quand on rentre chez soi – Quand un membre de la famille rentre à la maison, il ou elle annonce *Ta-dai-ma !*, soit « je suis rentré » ou « je suis là maintenant ».

La personne qui est à la maison lui répond *O-ka-eri-na-sai* ou simplement *O-ka-er-i*, ce qui signifie « content de te revoir ».

Nous vivons dans un monde qui exige notre disponibilité permanente. Sans arrêt, nous répondons aux courriels et consultons nos téléphones pour nous tenir à jour des notifications sur des réseaux sociaux où nos « amis » comptent aussi bien nos collègues de travail et d'anciens copains d'école que notre famille ou de parfaits inconnus. Les frontières entre le domicile, le travail et notre vie sociale semblent avoir disparu à jamais. Et le moins que nous puissions faire est bien de nous engager à être *vraiment* chez nous lorsque nous y sommes.

Ces mots si faciles à affirmer quand nous étions petits – « je suis rentré » – revêtent une grande importance. Pour une personne japonaise, ils résonnent telle une chanson, une mélodie associée à l'amour que nous porte notre famille. Nous rentrions à la maison, retirions nos chaussures et hurlions « Je suis là ! » avant de soupirer d'aise et de laisser notre journée derrière nous. En un rien de temps, nous nous retrouvions alors à dîner en famille, à lire un livre ou à nous détendre dans le bain. Il y a quelque chose de très puissant dans ce rappel – dans cet engagement quotidien à vivre le moment présent : « Je suis là, maintenant ».

Un habitat en harmonie avec la nature : prendre davantage soin de notre maison

De nos jours, si la vie nipponne continue à suivre étroitement le rythme des saisons, c'est vrai pour la maison. En matière de recherche d'équilibre, il ne faut jamais sous-estimer le rapport à la nature.

Le *chōwa* (ou la vie harmonieuse) ne consiste pas à se créer une bulle pour oublier que nous sommes, comme tout sur cette Terre, des êtres naturels. Peu importe la quantité de plastique utilisé ou le temps passé dans nos villes de béton et d'acier : nous sommes nature et la nature est nous.

Comme tous les éléments naturels, nous – et nos vies – sommes sujets au changement.

Comme tous les éléments naturels, nous finirons par disparaître.

Je ne cherche pas à vous déprimer, il s'agit d'un simple fait de la vie. Le reconnaître permet d'accepter plus facilement le rythme de la nature – et l'inévitable usure de nos maisons. Je voudrais vous montrer ce que le *chōwa* nous enseigne sur la vie en accord avec la nature, et comment il nous rend plus attentifs aux besoins véritables de nos maisons.

Le fait que les maisons japonaises soient largement constituées de matériaux naturels – papier, bois et terre –

nous rappelle ces vérités aussi simples qu'im
observez les *shōji* de la maison des Tanaka p
vous remarquerez que, malgré le grand âge
panneaux semblent neufs. C'est que le pa
une fois par an, le 30 ou le 31 décembre, avant le passage à la
nouvelle année. Quand j'étais petite, j'adorais traîner dans les
jambes de ma mère et de ma tante pour les aider à changer
les *shōji* de la maison de mon oncle. Je traversais le papier
à coups de poing avant de contempler le trou percé par ma
main et les extrémités déchirées qui se retroussaient comme
de pâles flammes. Le papier était remplacé à temps pour les
festivités du Nouvel An et la maison semblait comme neuve
– une page blanche.

**Prendre soin de notre maison (inspiré du shintoïsme, «la
voie des esprits»)** – Si vous parcourez la maison des Tanaka,
vous remarquerez que les couloirs de bois sont impeccablement
propres et qu'ils brillent assez pour que vous contempliez votre
reflet dans le bois sombre.

Certaines des méthodes révélées au monde par Marie Kondo,
la grande prêtresse du rangement – comme plier les vêtements,
organiser la maison, jeter ou donner ce dont on n'a pas besoin
– se transmettent au Japon de génération en génération[12]. À
mon humble avis, si le rangement à la japonaise connaît un
pareil succès, c'est notamment grâce à sa connexion implicite
avec le cours naturel des choses : il existe une relation très
étroite entre le fait de ranger notre maison et celui de trouver
notre équilibre. Garder sa maison propre et bien rangée est une
façon de s'accorder au rythme de la nature.

---

12 Voir aussi M. Kondo (2014).

D'après le shintoïsme (« la voie des dieux [ou des esprits] », religion traditionnelle du Japon), les *kami* (esprits) existent dans tous les éléments naturels – pluie, montagnes, arbres, rivières. Cette croyance s'étend aux objets fabriqués par les humains et qui garnissent nos maisons. Même les objets inanimés, des éventails aux chaussures, des chaises aux voitures, peuvent abriter un *kami* – après tout, tout ce que nous possédons provient – à un certain point – de la nature. Même les articles en plastique ou en acier sont nés de mains humaines. Cette conscience des esprits qui habitent les objets que nous nettoyons, cette reconnaissance de leur existence et de leurs besoins propres, nous rappellent l'attention qu'ils méritent de notre part. Ainsi, le shintoïsme nous enseigne que toutes les choses, naturelles et fabriquées de main humaine, possèdent une valeur inhérente.

Lorsque je range mon *kiri-dansu*, la commode en bois dans laquelle je conserve mes kimonos, il m'arrive souvent de leur souffler : « Merci d'être venus avec moi du Japon, merci de prendre si bien soin de moi. »

• Possédez-vous des objets que vous utilisez régulièrement – un fauteuil, un bureau, une montre – et auxquels vous aimeriez exprimer votre gratitude pour toutes ces années de service ? Peut-être qu'exprimer cette gratitude vous encouragera à prendre davantage soin de ces objets ? Peut-être vous déciderez-vous enfin à faire recouvrir votre fauteuil préféré ?

• Comment pourriez-vous prendre davantage soin des matériaux naturels présents dans votre maison ? Savez-vous en quoi est faite votre table à manger ? En quelle matière sont vos draps et vos couvertures ? Accorder plus d'attention aux matériaux qui nous entourent nous permet de mieux nous en occuper, tout en exprimant notre reconnaissance envers ces objets qui nous servent si bien.

Recycler et réutiliser à la maison – Bien se comporter envers les matériaux de nos maisons signifie aussi les utiliser correctement et le plus longtemps possible afin qu'ils jouissent de leur espérance de vie maximale, en pleine santé et dans la joie. Au Royaume-Uni, j'ai toujours un pincement au cœur au moment des fêtes, face à tout ce papier cadeau aussitôt déchiqueté, aussitôt jeté, qui ne sert que le temps d'un jour. *Mottainai !* Quel gâchis.

Au Japon, les cadeaux sont parfois encore emballés dans des *furoshiki* de soie. Ces tissus à motifs remplissent traditionnellement différentes fonctions. On y emballe des vêtements qui peuvent ensuite être pliés et rangés avec soin. On y transporte toutes sortes de choses comme des légumes, des sacs de riz, des boîtes bento, voire des nourrissons. (Ils étaient autrefois aussi communs que les sacs ou les sacoches en Occident.) Quand le *furoshiki* sert à emballer un cadeau, la personne qui le reçoit (et l'ouvrira en privé, loin du regard de la personne qui offre) s'assure ensuite de restituer le *furoshiki* à son propriétaire, afin qu'il puisse l'utiliser à nouveau. Le tissu, en plus d'être une façon élégante d'offrir un présent, est un emballage écologique.

Alors, même si vous n'investissez pas dans un *furoshiki*, peut-être pourriez-vous mettre cet esprit de réutilisation en pratique en prenant davantage soin de vos papiers cadeaux afin de vous en servir plusieurs fois. Si vous emballez vos cadeaux avec soin, en utilisant de la ficelle ou du ruban à la place du scotch, vous encouragez les autres à le réutiliser eux aussi.

Prendre soin de notre maison pour exprimer notre gratitude et notre amour – Il existe une croyance au Japon, inspirée du shintoïsme et qui semble cristalliser une importante leçon de *chōwa* – s'occuper de la maison serait une sorte de marché : plus nous prenons soin de notre maison, plus celle-ci prend soin de nous.

Ma grand-mère me répétait toujours que dans les toilettes *aussi*, il y a un *kami*. Elle m'expliquait que si je nettoyais bien les toilettes, le dieu des toilettes m'apporterait la bonne santé et peut-être même la bonne fortune. Et que si je nettoyais très bien les toilettes, je deviendrais une belle jeune femme. Sa leçon était la suivante : « Si l'esprit des toilettes est heureux, tu le seras aussi »[13].

Nettoyer notre maison nous rapproche des êtres que nous aimons. Les personnes qui nous apprennent à nettoyer sont souvent celles qui nous apprennent tout ce que nous savons sur la vie – nos mères, nos pères, nos grands-parents, nos aînés. En maintenant ma propre maison dans un semblant d'ordre, je me sens plus proche des personnes que j'aime, vivantes ou décédées.

Entretenir la maison pour trouver un équilibre familial – D'après de nombreux Japonais, si l'esprit de la maison est heureux, vous êtes plus susceptible de l'être vous aussi. C'est tout du moins ce que ma mère me répétait quand je négligeais mes corvées[14].

Mais je me distingue de ma mère par l'importance que j'accorde au fait d'inclure le reste de ma famille dans le ménage.

---

13 Servir ainsi l'esprit des toilettes est une pratique très répandue au Japon, renforcée et encore davantage popularisée par la chanson *Toilet no Kamisama* (l'esprit des toilettes) de Kana Uemura, sortie le 14 juillet 2010 (King Records, Kana Uemura et Hiroshi Yamada).
14 De nombreux articles traitent (en anglais) des racines shintoïstes de Marie Kondo, notamment : https://www.bustle.com/p/how-shinto-influencedmarie-kondos-konmari-method-of-organizing-15861445.

J'ai beau trouver l'activité à la fois revigorante et relaxante, ça ne veut pas dire que c'est à moi de faire tout le travail. De plus, faire le ménage en famille est une façon de tendre vers davantage d'équilibre – en s'assurant que nous faisons tous notre part pour le foyer. Il ne reste désormais que mon mari et moi à la maison, mais il remplit sa part !

Prendre soin de notre maison en guise de remerciement – Le 1er septembre 1923, ma grand-mère visitait une amie dans sa maison de Tokyo. Tandis qu'elle bavardait en berçant son bébé dans ses bras – en l'occurrence le frère aîné de ma mère qui refusait catégoriquement de s'endormir –, le sol se mit soudain à trembler. La maison était secouée dans tous les sens. Ma grand-mère n'en était pas à son premier séisme, mais celui-ci s'annonçait différent et, avant d'avoir le temps de comprendre ce qui lui arrivait, elle ne vit plus rien. Tout devint noir. Le toit s'était effondré. Blessée par les débris qui continuaient à tomber, elle fut clouée au sol, incapable du moindre mouvement. Tout tremblait autour d'elle. Elle s'accrocha à son bébé. C'était le grand tremblement de terre de Kantō de 1923. Plus de cent mille personnes moururent. Ma grand-mère et mon oncle survécurent de justesse. Quand ils émergèrent des ruines, de nombreuses maisons étaient complètement détruites. Les constructions de bois et de papier brûlent vite, et des maisons chéries par plusieurs générations avaient disparu en un clin d'œil, emportées par les incendies qui suivirent le tremblement de terre.

Le 11 mars 2011, j'ai appris qu'un tremblement de terre et un tsunami avaient frappé Tōhoku, dans la région Nord-Est du Japon. Ce n'est que plus tard dans l'année, tandis que je créais mon association d'aide aux survivants, que j'ai visité les logements provisoires mis en place à destination des personnes déplacées à la suite du tremblement de terre, du tsunami et de la fusion des réacteurs nucléaires de Fukushima Daiichi. J'ai parlé à des familles qui avaient perdu leur maison dans la catastrophe, et le plus embêtant à leurs yeux était de ne pas pouvoir se laver correctement. (Le shampoing sec est d'ailleurs assez mal vu au Japon, car il rappelle à tout le monde ces temps de malheur.) Personne ne rechigne à prendre quelques minutes supplémentaires chaque jour pour se laver correctement. Tous savent combien ils sont chanceux de pouvoir le faire.

Apprendre des catastrophes est une autre leçon de *chōwa* – partager les souffrances des autres autant que leurs joies. Au Japon, la fréquence de ces événements désastreux rappelle aux gens, même à ceux qui n'ont pas directement vécu ce type de catastrophes, combien ils sont chanceux de pouvoir garder leur maison en ordre. Je garde donc ma maison en ordre en guise de remerciement pour ma bonne fortune, et pour savourer le luxe quotidien d'une maison bien rangée.

LEÇON DE *CHŌWA* : TROUVEZ L'ÉQUILIBRE CHEZ VOUS

Conscientisez le soin et l'attention
• Exécutez-vous un rituel familial pour marquer votre départ et votre retour à la maison ?
• Aimeriez-vous exprimer plus souvent votre amour et votre gratitude aux personnes que vous aimez ?
• Existe-t-il de petits préparatifs que vous pourriez effectuer (comme garder une lampe-torche près de la porte d'entrée en

cas de coupure de courant, ou imprimer une feuille avec les numéros d'urgence et la placer à un endroit où toute la famille peut la voir) pour aider votre maisonnée à affronter l'inattendu ?

Gardez votre maison propre pour trouver l'équilibre personnel et familial
• Quel était votre rapport au ménage étant jeune ? Comment ce rapport a-t-il évolué avec l'âge ?
• Qui vous a appris à nettoyer et à ranger derrière vous ? Un parent ou un grand-parent ? Un frère ou une sœur ? Un partenaire ?
• Que se passe-t-il si vous envisagez le ménage comme un moyen d'honorer la personne qui vous a appris à le faire ?

Une maison en harmonie avec la nature
• À l'image de la branche de prunier en fleurs que vous avez aperçue à l'entrée de la maison des Tanaka, pourquoi ne pas placer un vase de fleurs de saison dans votre entrée en guise d'accueil pour vos invités et vous-même ?
• Il existe de nombreuses manières amusantes de vivre en harmonie avec le monde naturel. Plus jeunes, ma sœur et moi célébrions une tradition annuelle baptisée *momiji gari* – soit la recherche et le ramassage de belles feuilles mortes [d'automne]. Pourquoi ne pas mener vos propres expéditions de *momiji gari* ? Que voudriez-vous collectionner ?

2

JOUER NOTRE RÔLE

*« Le pilier invisible soutient
toute la maison. »*

Proverbe japonais

Mère. Père. Épouse. Époux. Fille. Fils. De nos jours, nous voyons évoluer devant nos yeux les différents rôles au sein de la famille. Beaucoup de ces évolutions semblent tendre vers le mieux – de plus en plus de mes couples d'amis partagent équitablement les responsabilités liées aux enfants, et les femmes parviennent de mieux en mieux à conjuguer ambition professionnelle et vie de famille. Pourtant, il reste compliqué de répondre à toutes les exigences de la vie moderne et de réconcilier notre personnalité profonde avec nos responsabilités familiales.

Le *chōwa* peut nous aider à concilier ces responsabilités divergentes. Dans une perspective japonaise traditionnelle, chercher l'harmonie familiale c'est se demander : « Comment puis-je me rendre utile ? » Il s'agit ensuite de faire de notre mieux pour compléter mutuellement nos actes et nos rôles respectifs, en s'envisageant comme faisant partie d'un grand tout. Si mes parents m'ont énormément appris sur la parentalité et sur mes responsabilités envers ma famille, la vie à cheval entre le Japon et l'Angleterre m'a ouvert les yeux sur de nombreux points – notamment sur la possibilité de mener une vie de famille souple et amusante, et de ne pas m'imposer d'exigences irréalistes. Lorsque j'ai commencé à élever ma fille, ces petits actes équilibrants se sont imposés naturellement.

Dans ce chapitre, je vais aborder avec vous les leçons de *chōwa* suivantes :

• Envisager vos différentes fonctions familiales comme des actes équilibrants. Faire partie d'une famille consiste à réconcilier nos responsabilités et nos rôles – parfois si fièrement gardés ; à accorder un peu moins d'importance à ce qui est attendu de nous, et un peu plus à ce que nous pouvons vraiment donner.

• Trouver l'harmonie dans votre vie de famille. Il est tout à fait possible de nous amuser de nos rôles – d'instiller un esprit *chōwa* à nos relations, de nous laisser davantage porter, tout en honorant notre passé et nos origines. Au lieu de faire des « compromis » et des « sacrifices », pourquoi ne pas commencer par « nous compléter » et « prendre soin » des autres membres de la famille ?

• Voir les autres, et vous-même, avec plus de clarté. Si le *chōwa* nous apprend à être davantage conscients des exigences que nous avons les uns vis-à-vis des autres, nous devons aussi apprendre à faire des pauses spontanées. En période de grande tension, il est primordial de prendre du recul afin de se regarder le plus objectivement possible et de faire un point sur notre équilibre interne – des petites choses qui passent facilement à la trappe dans le tumulte de la vie de famille.

LE POUVOIR DU *CHŌWA*

Quel que soit l'amour qu'on leur porte, vivre avec d'autres personnes s'avère parfois difficile ; il arrive qu'on ait besoin d'espace pour réfléchir et envisager les améliorations à apporter.

La maison où j'ai grandi

Bien que j'aie passé une bonne partie de mon enfance dans la maison de famille des Tanaka et ses environs, je n'y ai pas grandi, car elle appartenait à mon oncle et à sa famille. La tradition a en effet voulu que, n'étant pas le fils aîné, mon père n'hérite ni de la maison, ni des terres, ni de la fortune des Tanaka. Pour discuter ensemble du *chōwa* et de la famille dans une perspective plus quotidienne, commençons par reprendre là où nous nous étions quittés...

Il est tôt, vous vous réveillez chez les Tanaka. Vous repliez sans bruit votre futon, remontez le couloir et enfilez les chaussures que vous avez laissées dans le *genkan* hier soir. Vous faites coulisser la porte et sortez, puis refermez doucement derrière vous. Vous suivez la route, dépassez le cimetière en friche puis longez une large route bordée de rizières embrumées aussi loin que porte votre regard.

Après quelques minutes à bon pas, vous dépassez de nouveau la petite ferme aperçue à l'aller. C'est là qu'ont vécu ma grand-mère maternelle et ma mère. Un peu plus loin, vous trouvez une petite construction de bois sur deux étages, la première d'une série de maisons similaires et espacées d'environ deux cents mètres.

C'est ici que j'ai grandi.

Trouver un sens de soi équilibré

En famille, nous faisons souvent face à de véritables dilemmes. Que nous endossions le rôle du « parent autoritaire » ou celui du « partenaire en charge de l'organisation », les responsabilités sont légion et l'impression de tout porter sur nos épaules n'est jamais bien loin. De plus, l'énergie que nous consacrons à de telles performances tend parfois à masquer un manque d'honnêteté envers nous-mêmes. D'un côté, nous voulons nous épanouir individuellement et développer tout notre potentiel. De l'autre, nous estimons ces responsabilités nécessaires − il faut bien que quelqu'un fasse appliquer les règles, range, harmonise le foyer, etc.

Voici un terme japonais qui illustre bien cette sensation d'équilibre que nous recherchons tous, quelle que soit la famille dont nous faisons partie.

自分
ji-bun

Ces caractères signifient « la part de soi-même » (dans le sens de « partie d'un ensemble plus grand »).

À mes yeux, ces caractères renferment un message très *chōwa* : quoi que nous fassions, nous le faisons dans le contexte de nos relations avec les autres, dans le cadre d'un fragile équilibre en négociation permanente. Ceci est particulièrement vrai en famille, car nous y jouons un rôle unique. Au sein d'une famille différente, nous jouerions un rôle différent. Le *ji-bun* nous encourage à réfléchir aux deux acceptions du mot « rôle » : notre « rôle » en tant qu'élément d'un tout, mais aussi celui que nous jouons, à l'image d'un comédien.

Ce terme japonais pour « soi-même » incite à rechercher l'équilibre dans nos relations familiales. En effet, la limite entre notre moi profond et le « rôle » que nous jouons (c'est-à-dire notre rôle social ou familial) n'est jamais aussi nette que nous le pensons. Après tout, qu'est-ce que le soi, si ce n'est une éternelle danse entre ce que nous devons aux autres et ce que nous nous devons à nous-mêmes ? C'est une lutte constante pour remplir nos devoirs les uns envers les autres, sans compromettre notre gaieté ou notre spontanéité à leur égard.

Mais le *ji-bun* nous montre aussi que la « part de nous-mêmes » peut se révéler une force d'harmonie au sein d'un tout parfois fracturé[15].

Signe extérieur d'engagement intérieur – Comme de nombreux enfants de ma génération, j'ai été éduquée selon une discipline stricte. Voici à quoi ressemble le caractère de « discipline » :

躾

shitsuke

Ce caractère associe les symboles de :
• corps, attitude ou comportement (身) et
• beau, correct, approprié (美).

Nous reviendrons à plusieurs reprises sur les idées qui composent ce caractère si étroitement entremêlé au *chōwa*. Bien qu'il soit impossible de *voir* l'état d'esprit, on peut voir la discipline mentale d'une personne en observant sa façon de se comporter, de parler et d'agir. Notre corps – quoi que l'on fasse sur cette planète – devrait être le reflet de notre esprit, car nous ne révélons aux autres la qualité de notre caractère que lorsque nos actions sont en harmonie avec nos paroles et nos projets.

---

15 Pour en découvrir davantage sur le *ji-bun* en tant que « part de soi-même » et la conception japonaise de « soi » en général, voir Rosenberger (1992).

Vous êtes ce que vous faites. Honorer vos rendez-vous avec ponctualité, rentrer chez vous à temps pour profiter de la présence de vos enfants, prendre le temps de rattraper le temps perdu avec de vieux amis – plus que vos paroles ou vos projets, c'est la somme de vos actions, ce que vous faites *vraiment*, qui détermine votre caractère.

Mettre nos enfants au défi – Imaginez que je vous aie invité dans la maison de mon enfance, la maison plus modeste en bas de la route. Comme vous avez désormais appris à le faire, vous ôtez vos chaussures et les disposez au pied de la marche de l'entrée.

En pénétrant dans le couloir en bois, vous tombez nez à nez avec le *kakemono* (rouleau suspendu) préféré de mon père. Il représente un tigre qui porte un petit dans sa gueule. En dessous de l'image se trouvent ces caractères, notre devise familiale : « Force, intelligence et beauté ».

強く	明るく	美しく
Tsuyoku	akaruku	utsukushiku

Ce dessin illustre une scène de conte populaire. Un tigre emmène son petit au bord d'une falaise. Il relâche lentement ses mâchoires et laisse le petit dégringoler jusqu'en bas. Si celui-ci n'arrive pas à remonter la pente, alors il n'est pas assez fort pour survivre. Oui, j'ai bien conscience que ce message peut sembler choquant. Mais en matière d'éducation de ses filles, mon père a bravé les mœurs de son époque pour nous apprendre, en plus d'être « intelligentes » et « jolies », à être fortes. Il m'a préparée pour les moments où je devrais affronter les épreuves la tête haute et sans peur.

Les épreuves peuvent s'avérer positives – Nul besoin de traiter nos enfants aussi durement que le tigre du conte. Certes, mon père nous a soumises, ma sœur et moi, à des épreuves que je ne ferais jamais subir à ma fille – nous enfermer dans un placard si nous lui tenions tête, entre autres. Mais si on les donne dans un esprit différent, les épreuves peuvent en réalité s'avérer positives. Par exemple, si les bases de l'origami (l'art traditionnel japonais de pliage du papier) s'enseignent en quelques heures à peine, il faut toute une vie pour en atteindre la maîtrise. Et malgré la minutie, voire la diabolique complexité de la pratique des origamis, c'est une activité très bénéfique aux enfants car elle stimule aussi bien leurs doigts que leur cerveau, et les confronte à des règles de géométrie élaborées, tout en les amusant.

Laissez entrer le calme chez vous – Je trouve absolument adorable le spectacle d'enfants turbulents et heureux, et suis loin d'adhérer au principe selon lequel les enfants seraient « mieux en photo ». En réalité, lorsqu'il s'agit de cultiver une atmosphère calme dans la maison, adultes et enfants sont autant responsables les uns que les autres, car ces derniers sont d'excellents imitateurs. Quand il m'est arrivé de sortir de mes gonds, mes paroles irréfléchies n'ont jamais mis longtemps à me revenir à la figure. J'ai toujours essayé d'éviter de dire à ma fille ce qu'elle devait faire ; au lieu de ça, je me suis efforcée de me comporter et d'agir avec calme et sérénité, afin de lui montrer le bon exemple et de lui permettre d'observer et d'apprendre en stimulant sa capacité d'imitation. Concentrer l'attention de l'enfant sur l'observation et l'apprentissage le prépare à la vie hors de la maison (étudier dans le calme, jouer gentiment avec les autres, etc.). Quand on vit avec d'autres personnes, il est primordial de garder l'esprit calme et les idées claires pour affronter les conversations difficiles, résoudre les disputes et partager les moments de tristesse aussi bien que les moments de joie. Faire entrer le calme chez vous est donc une étape importante si vous souhaitez transformer votre maison en un endroit confortable où règnent la détente, la sérénité et la communication.

Amusez-vous de votre rôle – Répéter en permanence aux enfants de ranger, de faire leurs devoirs ou de bien se tenir... est épuisant. Je me rappelle que mon père faisait de gros efforts pour jouer le « père samouraï strict ». Et je me souviens avec tendresse des moments où son masque glissait.

Chaque année, juste avant le début du printemps, nous célébrions le *Setsubun*. Quiconque nous rendait visite en ce jour de février entendait ma mère, ma sœur et moi crier « *Fuku wa uchi, oni wa soto !* » (« Dedans le bonheur ! Dehors les démons ! »)

Comme dans beaucoup de foyers japonais, c'était notre père qui enfilait le masque de l'effrayant démon. Nous lui jetions alors des poignées de graines de soja grillées tandis qu'il tentait de s'échapper. Puis il ôtait son masque et, à la vue de ses yeux mouillés de larmes, je craignais que nous l'ayons blessé. Or, il s'agissait de larmes de rire – il avait ri à en pleurer de nos petits visages déterminés.

Mon père a joué ce rôle – le père strict – toute sa vie. Lorsque je revois son visage transpirant apparaître derrière le masque, je réalise l'effort quotidien que cela a dû représenter. Voici donc quelques pistes à garder à l'esprit quand nous portons le masque de notre rôle familial :

• **Ne vous laissez pas emporter par le rôle que vous pensez «devoir» jouer.** Malgré tous vos efforts pour être le parent ou le partenaire que vous pensez « devoir » être, il faut admettre que vous êtes le résultat du mélange de l'influence de vos parents et de celle des autres. Nous nous inventons au fur et à mesure de notre existence. Et prendre son rôle avec un peu plus de légèreté ne fait de mal à personne.

• **Arrêtez de vous obstiner.** On se dit parfois que c'est à nous de faire telle ou telle chose – gérer le budget de la maison, organiser les voyages, cuisiner... Cette contribution à la vie familiale selon les capacités de chacun peut relever d'un esprit très positif. Mais le déséquilibre menace dès lors que ce qui a commencé avec les meilleures intentions vire à l'obligation ou au prétexte pour s'isoler : « Il n'y a que moi qui puisse organiser nos vacances » ou « Il n'y a que moi qui puisse gérer notre budget ». L'harmonie familiale dépend du rééquilibrage de cette situation – écoutez les autres membres de la famille et prenez en compte l'opinion de chacun. Et si vous devez parler à un membre de la famille qui refuse d'écouter, transformer la « critique » en discussion (« Je comprends ton point de vue, mais... ») vous permettra de comprendre les raisons de son entêtement, voire aidera la personne à percevoir le côté comique de son arrogance, de sa mesquinerie ou de son obstination.

• **Reconnaissez vos torts.** Nous dépensons tant d'énergie à avoir raison, à être stricts et à garder le contrôle ! N'ayez pas peur de reconnaître vos torts devant vos enfants ni de présenter des excuses si vous avez élevé la voix. C'est souvent quand nous relâchons la garde que nos « rôles » conventionnels s'estompent. Ces moments uniques nous mettent sur un pied d'égalité – là et seulement là, naît la véritable amitié parent-enfant.

L'esprit samouraï : apprendre à servir sa famille, apprendre à se servir soi-même – Quand vous pensez à un samouraï, vous pensez sans doute à un guerrier japonais au chignon bien serré, une épée à la main et volant à la rescousse de la veuve et de l'orphelin comme dans *Les Sept Samouraïs*, le célèbre film de Kurosawa. Ce que vous ignorez peut-être, c'est que le mot « samouraï » vient de *saburo*, qui signifie « servir ».

Bien que les valeurs samouraïs soient généralement associées aux hommes, c'est de ma mère que je vais vous parler ici. Comme je l'ai déjà mentionné, la famille Tanaka descend des samouraïs ayant servi le poète-guerrier Ōta Dōkan. À l'époque, les hommes n'étaient pas les seuls à devoir apprendre à maîtriser les arts martiaux et à défendre leur maison. On attendait aussi des femmes, tout du moins dans certains cas, qu'elles prennent les armes et défendent leur foyer – voire mènent des armées si leur père ou mari venait à tomber au combat. Sans apprendre le maniement de l'épée ou la stratégie militaire, ma mère a toutefois été élevée selon ces principes. Après tout, elle nous a bien raconté que, plus jeune, elle et ses camarades aiguisaient des lances de bambou et les entreposaient dans un coin de la classe afin de combattre toute force ennemie qui viendrait à envahir le Japon. Et bien sûr, de mourir avec honneur le cas échéant.

Toute ma vie, j'ai essayé de conserver en moi un peu de l'esprit samouraï de ma mère, et j'aimerais maintenant partager avec vous ses enseignements : servir ma famille – sans oublier de prendre soin de moi.

• Renouvelez votre engagement envers les autres. Difficile de faire plus différents que ma mère et mon père et, si ma mère avait parfois ses torts, de nombreuses disputes naissaient des petites malhonnêtetés de mon père et de ses exigences autoritaires. Mais une fois l'an, à la Saint-Sylvestre, nous pratiquions un rituel de pardon, destiné à laisser derrière nous les « mauvaises choses » de l'année passée afin de commencer la nouvelle sur de bonnes bases. En tant que maître de maison, mon père menait le rituel et secouait au-dessus de nos têtes une tige de bambou au bout de laquelle était noué un morceau de papier blanc provenant d'un autel shintoïste local. (Cette tradition japonaise a pour but de se débarrasser des démons et des « mauvaises choses ». Il est d'usage que les enfants s'inclinent devant leur père en signe de respect.) Mais, une fois que notre père nous avait « purifiées », le plus surprenant à mes yeux restait d'observer ma mère s'emparer du bâton et le secouer au-dessus de la tête de son mari. De quelles « mauvaises choses » devait-il se faire pardonner ? Cela m'intriguait. Certaines années, mon père s'inclinait plus bas que d'habitude, parfois avec malice et parfois avec sérieux, comme si les « mauvaises choses » avaient été un peu plus nombreuses. C'était un acte annuel de purification, un rituel de renouveau et de pardon.

Le jour de l'an, les Japonais disent *kotoshi mo yoroshiku onegaishimasu* (« Je me recommande à votre bienveillance cette année encore »). Cette formule, exprimée par et entre tous les membres de la famille, est un acte très puissant. Les enfants la déclarent à leurs parents autant que les parents à leurs enfants. Il n'est pas toujours facile de supporter sa famille – nous ne sommes nous-mêmes pas toujours faciles à supporter – et j'apprécie particulièrement la force profonde de ces rites muets de pardon, et l'engagement verbal de bienveillance qui s'en suit.

D'ailleurs, entre aider nos proches à se débarrasser des mauvaises choses et renouveler nos vœux d'amour les uns envers les autres, je me demande si nous ne gagnerions pas à pratiquer ces petits rituels plus souvent.

• **N'ayez pas peur de demander de l'aide.** Plus que quiconque à ma connaissance, ma mère répugne à se faire aider. Il me semble pourtant qu'avec le temps, elle a appris à se détendre un peu ; et ceci, en partie tout du moins, grâce à ma soeur et à moi. J'aime à penser que nous avons été de bonnes filles et, dès que je retourne au Japon, je m'efforce d'aider ma mère pour les petites et grandes tâches domestiques. Elle m'exprime immanquablement sa joie de me voir revenir plus souvent que la fille de sa voisine, qui ne travaille pourtant qu'à quelques heures de distance – à Tokyo. Toutefois, en plus d'avoir appris à accepter l'aide de ses enfants, ma mère a surtout appris à s'appuyer sur la communauté. En effet, les habitants de sa ville prennent grand soin de leurs concitoyens les plus âgés. Lors de mes visites chez ma mère, je suis toujours surprise à la vue de petites annonces qui demandent aux gens d'ouvrir l'œil, car une vieille dame a tendance à se perdre ; et d'autant plus à la vue des gens qui aident volontiers la vieille dame en question à retrouver le chemin de chez elle. Je suis toujours enchantée par le klaxon du camion de tofu qui fait le tour des maisons et livre le tofu frais directement chez les gens. Ma mère est dernièrement devenue la présidente de l'association locale des citoyens seniors et assume la tâche de comptable. En plus d'être d'une grande aide pour l'organisation, c'est une activité réconfortante et très utile pour elle – elle lui permet de garder l'esprit vif et actif, et de profiter de la compagnie d'autres personnes.

• **Partagez le fardeau des tâches ménagères ennuyeuses.** Le *chōwa* nous enseigne que s'informer – savoir ce qui doit être fait – est la première étape du chemin vers le véritable équilibre. Que vous viviez avec votre partenaire, en famille ou avec des colocataires, il n'est pas rare qu'une des personnes se retrouve à effectuer plus de tâches domestiques que les autres. Dressez la liste de ce qui doit être fait. Chaque semaine, répartissez les tâches, en établissant une rotation afin que chacun se rende compte de ce que chaque tâche représente. Gardez à l'esprit qu'il n'existe pas de « boulot d'homme » ou de « boulot de femme », uniquement des tâches qui doivent être exécutées. Il arrive aussi que l'aide-ménagère surgisse des endroits les plus inattendus. Au cours de mon dernier voyage au Japon, j'ai acheté un robot ménager que j'ai ensuite rapporté avec moi en Angleterre. Ma mère, très sceptique dans un premier temps – elle n'a jamais possédé ne serait-ce qu'un lave-vaisselle – s'est prise d'affection pour ce robot et l'a même baptisé *Kuriko-chan*. (*Kuri* signifie nettoyage. *Ko* est une terminaison typique de prénom féminin. *Chan* est un suffixe affectueux utilisé aussi bien pour les filles que pour les garçons.) J'ai moi aussi beaucoup d'affection pour mon petit robot qui, à l'heure où je vous parle, est en train de passer un coup de balai dans mon bureau de Londres. Il faut d'ailleurs que je m'empresse de soulever mes pieds pour le laisser grignoter les petites miettes sous mon siège.

• **Défendez votre droit aux congés.** Mon père travaillait pour une entreprise de transport maritime de Tokyo. Il ne comptait pas ses heures. Si le patron décidait de rester tard au bureau, ses employés n'avaient pas d'autre choix que de rester tard eux aussi. Ensuite (et qu'il en ait envie ou non), mon père était tenu de sortir boire des verres avec ses collègues. Résultat, il rentrait chaque soir à des heures indues pour redémarrer aux aurores le lendemain matin. Tout ceci n'aurait jamais été possible s'il n'avait été marié à une femme aussi travailleuse que lui et prête à consacrer la plus grande partie de sa vie à son foyer – ma mère. Malgré ces contraintes, ils sont parvenus à une sorte d'équilibre, bien que ce ne soit plus du tout le genre d'équilibre auquel les gens aspirent de nos jours.

Ma mère a toujours fait son maximum pour soutenir mon père, sans presque jamais se plaindre, et je n'ai commencé à percevoir la férocité de son esprit samouraï et de son indépendance qu'avec l'âge. Les fissures se font de plus en plus visibles, tandis qu'elle affirme ses droits avec un peu plus de fermeté.

En effet, une fois ses enfants partis de la maison, l'« esprit samouraï » de ma mère s'est révélé de façons surprenantes. Pour vous donner un exemple, ma mère a toujours redouté les vacances en famille, car il lui incombait de s'occuper de mon père et de pourvoir à ses moindres désirs – jusqu'à devoir porter ses sacs à sa place. Quand ma sœur et moi avons déménagé, elle a levé le pied et annoncé à mon père qu'elle en avait assez et que, pour ses prochaines vacances, elle partirait plutôt avec ses amies. Par ce petit geste, elle a mis fin à plusieurs décennies d'une situation déséquilibrée qui ne l'avait jamais satisfaite.

Observez votre vie depuis une perspective différente – Le *chōwa*, ou recherche de l'équilibre, exige d'ouvrir les yeux pour observer la situation (et notre vie) en toute objectivité et de se demander calmement : « Comment puis-je parvenir à l'équilibre ? » Or, se poser cette question – je ne parle même pas d'en trouver la réponse – est loin d'être toujours facile.

La grenouille au fond du puits ignore tout de l'océan. Je pense souvent à ce proverbe japonais quand je réfléchis à mon expérience en matière de remise en question de mes relations, et à celle de mes amis.

On se sent parfois comme la grenouille dans le puits. On vit sa vie de tous les jours, conscient de ne pas en être heureux, conscient du besoin de s'en échapper pour ne pas couler. Mais on ignore comment. À l'image de la grenouille dans le puits, on se heurte violemment aux parois. On se dit que ces petits bonds sont peut-être des compromis qui nous aideront à nous échapper − ou peut-être même qu'ils nous donnent l'impression que la situation s'améliore − et pourtant, à chaque fois les choses nous échappent de nouveau. Et notre fatigue augmente à chaque tentative.

Le problème, quand on est au fond du puits, c'est que demander de l'aide semble insurmontable. Pourtant, parler à quelqu'un aide souvent à envisager la situation depuis une perspective différente et à constater que l'équilibre de notre vie est bien moins perturbé qu'on l'imaginait.

Il est possible de s'offrir cette perspective à soi-même, en cadeau. Essayez de prendre de la hauteur, de vous observer comme la Lune ou le Soleil regardent la Terre. Détachez-vous de vous-même, place à l'objectivité. En vous visualisant quelques instants en train de vivre votre vie, vous remarquerez vite que vous vous sentez plus calme, plus en contrôle. Vous ne luttez plus, ne bondissez plus contre les parois comme la grenouille en panique, mais voyez enfin votre vie dans son ensemble.

C'est le moment de vous demander : qu'est-ce qui doit changer ?

LEÇON DE *CHŌWA* :
TROUVEZ L'ÉQUILIBRE
AU SEIN DE VOTRE FAMILLE

• Que vous soyez un homme ou une femme, la personne qui organise, la forte, la flemmarde ou la pratique, vous contribuerez bien davantage à vos différentes relations en vous détachant des rôles qui vous ont été attribués (ou que vous vous êtes attribués), et en réfléchissant aux moyens de compléter votre partenaire et les membres de votre famille ou de votre cercle amical.

• Oubliez votre rôle habituel, quel qu'il soit.

• À la place, concentrez-vous sur ce que vous pouvez *vraiment* faire pour approcher le véritable équilibre.

• Pourquoi ne pas adoucir ou estomper un peu vos « rôles » et vos « responsabilités » domestiques, à l'aide d'un peu d'humour ? Il n'y a pas de mal à laisser un peu tomber votre masque.

• Au fond, quel genre de personne pensez-vous être ? Y a-t-il une facette de votre personnalité que vous aimeriez laisser s'exprimer davantage ?

• Qu'est-ce qui vous aiderait à laisser s'exprimer le poète ou le samouraï qui sommeille en vous, ou votre côté sensible ?

• Pourriez-vous répartir plus équitablement les tâches entre les membres de votre famille ou de la maisonnée, afin d'équilibrer le travail de façon plus juste ?

• N'oubliez pas : donner le meilleur à votre famille peut être éreintant – vous êtes souvent votre pire ennemi.

• Défendez de toutes vos forces votre droit au repos, même pour une journée seulement.

• Trouvez des alliés, à l'intérieur comme à l'extérieur de votre famille, avec qui vous pourrez discuter des problèmes qui surgiront inévitablement.

3

ÉQUILIBRER LES COMPTES

« Gagner de l'argent peut donner l'impression
de creuser un trou à l'aide d'une aiguille,
mais le dépenser équivaut à regarder
l'eau disparaître dans le sable. »

Proverbe japonais

Pour beaucoup d'entre nous, l'argent est la principale source de stress et d'anxiété au quotidien.

Dans ma vie, j'ai connu des périodes de relative tranquillité financière – je pouvais compter sur le soutien de ma famille ou de mon mari, ou sur les bénéfices de mon entreprise lorsque je dirigeais une école d'anglais à Tokyo. Pourtant, même à ces époques-là, il m'arrivait d'être réveillée en pleine nuit par la crainte que ce soutien ne se tarisse, ou que la réussite ne s'évanouisse soudainement. Que ferais-je alors ? J'ai aussi connu des périodes au cours desquelles l'argent était un souci constant – comme lorsque je suis arrivée en Angleterre et que j'ai dû travailler d'arrache-pied pour boucler mes fins de mois. Mais dans les bons comme dans les mauvais moments, ne pas pouvoir accorder à mes finances une attention suffisante m'a toujours angoissée. À mon avis, c'est le cas de tout le monde. Nous avons tous besoin de contrôler un minimum les données de base pour atteindre l'équilibre financier. Quel est le montant de nos revenus ? De nos dépenses ? De notre épargne ? Comment voulons-nous *vraiment* dépenser notre argent ? Que se passerait-il dans le pire scénario possible, en cas de catastrophe ?

Approcher notre façon de dépenser et d'économiser dans un esprit *chōwa* (comme nous l'avons fait pour nos maisons et nos familles) aide à trouver l'équilibre financier. Et rien de tel que de se proclamer comptable en chef pour se sentir déjà reprendre pied.

Dans ce chapitre, je souhaite notamment aborder les leçons *chōwa* suivantes :

• **Envisager l'épargne comme un acte équilibrant.** Épargner commence par garder une trace consciente de vos revenus et de vos dépenses. Déterminer un objectif d'épargne aide à économiser un peu plus chaque mois et à évaluer le degré de priorité personnelle de chaque décision de dépense.

• **Posséder moins, donner plus.** Le *chōwa* consiste à vivre en harmonie avec les autres. Cela implique de repenser notre rapport à la propriété – après tout, il est beaucoup plus facile de trouver l'équilibre quand on ne transporte pas toute sa maison sur son dos – et d'apprendre à partager, afin de bâtir des communautés plus fortes dans un esprit durable.

Kakeibo – le livre de comptes domestique

Imaginons que vous êtes à Musashi, dans la maison de mon enfance. Minuit approche. Vous et moi discutons tranquillement dans la cuisine autour d'une tasse de thé. Nous remarquons à peine ma mère, assise en tailleur face à un petit carnet posé sur la table du salon. Si l'envie nous prenait de la rejoindre, nous la trouverions entourée de reçus, occupée à griffonner des nombres dans son carnet.

Si vous lui demandiez ce qu'elle est en train de faire, elle vous répondrait qu'elle calcule la différence entre ses revenus et ses dépenses du mois. C'est la base, la première étape pour équilibrer les finances domestiques. La méthode et le carnet en lui-même portent le nom de *kakeibo* : le livre de comptes domestique.

Le *kakeibo* est l'invention de la journaliste et écrivaine Motoko Hani. Première femme journaliste du Japon, madame Hani a publié ce système de comptabilité domestique moderne en 1904. Son succès ne s'est jamais démenti depuis[16].

Une corvée de plus ?

Est-ce que gérer vos économies a une véritable utilité, ou n'est-ce qu'une corvée domestique de plus ?

Au Japon, une des principales raisons de tenir un *kakeibo* est qu'on ne sait jamais quand notre situation peut basculer. L'argent économisé est habituellement réservé aux surprises, bonnes ou mauvaises – des cadeaux de mariage ou de naissance, l'organisation d'une fête pour le retour d'un vieil ami, le règlement des factures après la perte d'un emploi, ou celui de frais médicaux ou de funérailles à la suite du décès d'un proche. Grâce à de minuscules modifications apportées aux primes de mon père, ma mère a mis de côté tout ce qu'elle a pu dans le *hesokuri* (la caisse d'urgence).

Dans les foyers japonais traditionnels (et encore souvent aujourd'hui), c'est la femme qui tient les rênes du budget familial. Elle attribue généralement une enveloppe mensuelle à son mari, une sorte d'argent de poche du nom de *kozukai*. Il ne s'agit aucunement d'une punition, mais de l'illustration

---

16 Vous en trouverez une version française en librairie sans problème.

pratique de l'équilibre familial, de décisions financières prises par le foyer dans son ensemble et non pas spontanément par l'un de ses membres. Ma mère savait exactement combien d'argent rentrait et combien d'argent sortait de la maison et, en bonne experte-comptable, demandait chaque semaine à mon père de lui fournir les reçus de ses dépenses. Ainsi que nous l'enseigne le *chōwa*, la quête de l'équilibre commence par la collecte de toutes les informations utiles.

Le *kakeibo* pour les débutants

1. Organisez vos revenus et vos dépenses

• Au début du mois, établissez le montant de vos revenus (ce que vous gagnez) et celui de vos dépenses fixes (soit les dépenses essentielles dont : loyer/traites, factures de téléphone, charges d'eau/gaz/électricité, assurance logement et personnelle, abonnements, dépenses liées aux enfants, essence et autres coûts automobiles, transports et déplacements, alimentation, etc.).

• Calculez la différence entre vos revenus et vos dépenses fixes afin de connaître exactement la somme disponible pour le mois.

• Réfléchissez à ce pour quoi vous souhaitez économiser (faites preuve d'imagination) – peut-être avez-vous envie de vacances ou de vous faire un petit cadeau ?

• Déterminez votre objectif d'économie mensuelle. Soyez réaliste. N'hésitez pas à écrire le montant noir sur blanc afin de vous imposer une certaine discipline et vous aider à atteindre votre objectif (rien de tel qu'un objectif précis en tête pour garder la motivation).

• Vous pouvez alors en déduire votre budget mensuel :
Différence entre revenus et dépenses fixes
– la somme que vous souhaitez économiser chaque mois
= votre budget mensuel.

2. Gardez une trace de vos dépenses mensuelles

Au cours du mois qui arrive, notez vos dépenses par catégories. Vous pouvez très bien créer un tableau Excel pour l'occasion, mais il y a quelque chose de satisfaisant et de puissant (et d'assez facile) à tenir un carnet *kakeibo* à la main. Ces carnets vous incitent généralement à classer vos dépenses par catégories, sur le même principe que les applications pour smartphone :

- Essentiel : alimentation, frais médicaux, habillement, scolarité des enfants, etc.
- Cadeaux-plaisir : verres ou repas en extérieur, vêtements, etc.
- Culture : livres, musique, billets de cinéma ou de théâtre, magazines, cours de yoga, etc.
- Divers : réparations ponctuelles, ameublement, cadeaux.

3. Calculez le montant économisé

À la fin de chaque mois, calculez la différence entre votre budget initial et le total de vos dépenses mensuelles. Cette différence, c'est votre économie du mois. Les bases du *kakeibo* ne sont pas plus compliquées que ça[17].

Équilibrer ce qui est important : apprendre à économiser pour ce qui vous tient vraiment à cœur – Quand on souhaite atteindre l'équilibre financier, parvenir à planifier le montant de ses économies mensuelles et à visualiser clairement ses postes

---

17 Voir aussi https://start.lesechos.fr/au-quotidien/budget-conso/kakeibo-la-methode-japonaise-du-xxeme-siecle-pour-bien-gerer-son-argent-17356.php
https://korii.slate.fr/et-caetera/consommation-argent-methode-kakeibo-japon-achats-gestion-budget-finances-personnelles

de dépense représente déjà la moitié du travail. Mais il est tout aussi facile de perdre le contrôle – en s'achetant chaque jour un café à emporter sur le chemin du travail, ou en n'arrivant pas à refuser les invitations des collègues à sortir boire des verres. Le principe de base du *kakeibo* est de déterminer votre objectif d'économie, autrement dit, ce qui est important à vos yeux.

Posez-vous les questions suivantes :

- Pour quoi voudriez-vous le plus économiser ?

- Combien devriez-vous économiser par mois pour pouvoir vous le permettre à Noël prochain ? Ou l'été prochain ?

- Comment pourriez-vous commencer à économiser dès aujourd'hui pour quelque chose qui vous tient véritablement à cœur ?

N'ayez pas peur de dire non – Déterminez ce pour quoi vous souhaitez économiser. Il peut s'agir de vacances entre amis, d'un apport pour l'achat d'un appartement ou de petits plaisirs personnels comme des billets de cinéma ou de théâtre. La prochaine fois que vous recevrez une invitation imprévue – un déjeuner à l'extérieur avec des collègues ou une sortie entre amis – ou que vous sentez pointer l'humeur dépensière, vous serez ainsi plus à même d'évaluer l'ordre de vos priorités. Et peut-être accorderez-vous l'avantage à votre objectif personnel.

Faites régulièrement le point sur votre progression et vos objectifs/rendez des comptes (à vous-même) – À la fin de chaque mois, jetez un coup d'œil aux objectifs fixés en début de mois. Avez-vous atteint votre but ? Sinon, pourquoi ? Vous a-t-il été particulièrement difficile de mettre de l'argent de côté ? Pour quelle raison ? Avez-vous dû faire face à une dépense ponctuelle (réparation, dépense domestique ou organisation d'un dîner) que vous n'aviez pas prise en compte dans votre budget ?

Soyez honnête avec vous-même, mais n'oubliez pas de faire preuve de bienveillance : la carotte (le montant de l'économie visée, la raison pour laquelle vous économisez) est plus puissante que n'importe quel bâton. Tenir un *kakeibo*, c'est comme tenir un journal alimentaire, rien ne sert de mentir. En faisant un point chaque mois, vous serez en mesure de cibler les domaines problématiques.

Partagez vos objectifs avec vos amis – Rien de tel pour garder la motivation. Le fait d'avoir des alliés (ou un peu de compétition amicale, si c'est votre truc) est souvent un véritable coup de pouce sur la route de l'équilibre financier.

Le minimalisme accidentel – posséder un peu moins, partager un peu plus – Plus ma mère vieillit, moins elle semble avoir besoin d'objets, et plus elle donne. Elle nous a offert, à ma fille et à moi, de magnifiques kimonos anciens, et a distribué le reste de ses affaires à ses amis.

Au moment de quitter le Japon pour l'Angleterre, j'ai dû réfléchir longuement à ce qui était le plus important pour moi. Je ne pouvais pas tout emporter. Finalement, j'ai pris avec moi mes kimonos, quelques photos de famille et (bien sûr) ma fille. Quand nous avons emménagé dans notre nouvel appartement londonien avec mon mari de l'époque, j'ai été frappée par la sensation qui m'a envahie. Celle d'un nouveau départ.

Ma mère et moi pouvons nous qualifier de « minimalistes par accident ». En matière de cheminement vers l'équilibre personnel, évaluer notre attitude envers les choses que nous possédons est une étape primordiale. S'il vous est déjà arrivé de vous déplacer avec un enfant en bas âge et plusieurs sacs de courses, ou de vous retrouver face aux portiques du métro de Londres à devoir mettre la main sur votre Oyster Card[18] sans laisser tomber tout ce que vous avez dans les bras, vous n'aurez aucun mal à comprendre ce que j'entends par « moins nous sommes chargés, plus il est facile de trouver l'équilibre ».

Alléger ce qui vous retient facilite les grands bouleversements de la vie, qu'il s'agisse de débuter une nouvelle relation, de déménager pour le travail ou de changer de pays[19].

Vous n'avez pas besoin d'objets pour rivaliser avec les autres (ou avec vous-même) – On raconte que le premier empereur du Japon a reçu trois présents des cieux : une épée, un miroir et une pierre précieuse. Mais les gens normaux ont eux aussi reçu leurs trois trésors. Après le boom économique post-Seconde Guerre mondiale, la grande majorité des foyers japonais a ainsi pu s'offrir une télévision, un éfrigérateur et une machine à laver – objets qui leur ont grandement facilité et amélioré le quotidien. Malheureusement, quelque part entre cette époque et maintenant, acheter a cessé d'être une question d'utilité pour devenir la nouvelle façon d'exister aux yeux du monde et de nous-mêmes. Un nouveau téléphone pour montrer à quel point nous sommes modernes. Un nouvel abonnement à la salle de sport pour montrer l'importance que nous accordons à notre physique.

Je vous conseille de ne pas vous soucier de l'image que vous renvoyez. Débarrassez-vous de ce à quoi vous vous accrochez au nom des apparences. En balançant la veste flashy (que vous n'auriez de toute façon jamais portée) ou le dernier roman à la mode (dans lequel vous n'avez décidément jamais réussi à

---

18 Ndt : le pass Navigo des Londoniens.
19 Voir aussi Sasaki (2017).

entrer), vous vous libérerez du poids de la compétition – avec les autres, mais aussi avec d'autres versions de vous-même. Trouver notre sens de l'équilibre personnel implique que nous nous débarrassions aussi bien des choses que des « êtres » dont nous n'avons plus l'utilité et sans lesquels nous nous portons souvent beaucoup mieux.

Partagez plus – Réfléchir à notre rapport aux objets dans une perspective *chōwa* nous rappelle que nous ne pouvons pas atteindre l'harmonie en solitaire. En effet, notre propre équilibre s'entremêle avec la vie des autres autant qu'avec la nature. Nous faisons partie d'un écosystème plus grand. Il en va de même pour nos objets. Inclure les autres dans l'équation de nos possessions, c'est nous ouvrir à l'idée d'une économie plus sociale, arrêter de nous considérer comme des îlots et commencer à nous envisager comme des individus ayant des choses à partager, à prêter et à emprunter à la communauté.

Le partage actif comme pilier de la communauté – Quand nous arrêtons de nous cramponner à nos affaires et que nous laissons les autres s'en approcher, nous favorisons l'établissement d'une communauté vivante de personnes aux intérêts communs. À mon arrivée au Royaume-Uni, j'ai d'abord cru la communauté japonaise inexistante. Mais petit à petit, je me suis surprise à prêter mes kimonos, à emprunter le matériel nécessaire à la cérémonie du thé ou à partager des friandises traditionnelles avec mes voisins. En partageant ce qui nous tient à cœur, nous agrandissons notre cercle familial et apprenons à vivre en harmonie avec les autres.

LEÇON DE *CHŌWA* :
ÉQUILIBREZ LES COMPTES

Vos priorités

• Quels sont les achats réguliers qui vous font du bien ? Des tasses de café ? Des sorties au cinéma ? Des verres entre amis ? Après réflexion, toutes ces habitudes valent-elles l'argent que vous leur consacrez ? À la place, ne pourriez-vous pas économiser cet argent pour quelque chose dont vous avez vraiment envie ?

• Êtes-vous abonné à des services ? À la salle de sport ? À des loisirs ? Classez vos abonnements en fonction de l'importance que vous leur accordez. Y en a-t-il dont vous pourriez vous passer ?

Vos objectifs d'économie

• Pour quoi voulez-vous économiser ? Que souhaitez-vous pouvoir vous permettre dans six mois ou deux ans ? Trouvez différentes raisons d'économiser – donnez-vous des motivations puissantes pour équilibrer vos finances.

• Servez-vous de la méthode *kakeibo* pour apprendre à déterminer des objectifs d'épargne réalistes.

• Après un mois, faites un petit point. Si vos objectifs se sont révélés trop exigeants, pourquoi ne pas en fixer qui correspondent à vos capacités ? Si vous avez fait du bon travail au cours de ce premier mois, vous avez peut-être envie d'opérer des réductions plus drastiques. Faites ce que vous avez à faire pour progresser avec entrain.

4

TROUVER NOTRE STYLE

« J'ôte une épaisseur,
la glisse de mes épaules.
Changement de tenue. »
Matsuo Bashō (1644-1694)[20]

Pendant mon enfance, je trouvais souvent ma mère occupée à réparer des kimonos ou des vêtements occidentaux. Puis, à une période où j'ai eu l'impression de me couper de ma maison et de ma famille, mes kimonos sont devenus un rappel important de qui j'étais, et j'ai décidé d'en porter en public au moins une fois par semaine. J'enfile donc un lumineux kimono de printemps pour marcher jusqu'au pub, ou un léger kimono estival pour emprunter le métro de Londres. C'est un tel plaisir de partager avec les autres la beauté élégante et intemporelle de ces vêtements ! Bien que cela exige un peu de préparation – revêtir un kimono prend davantage de temps qu'enfiler une tenue à l'occidentale –, j'accepte avec joie ce petit effort pour le plaisir de surprendre et de ravir mes voisins londoniens. Je profite de la satisfaction d'assembler les différentes pièces

---

20 Texte japonais extrait de *Bashō* (1947). Traduction anglaise faite par l'auteure, traduction française faite par la traductrice.

à la perfection et perpétue cette tradition avec une grande fierté. Certes, je ne passe pas ma vie en kimono, mais cet élément traditionnel de la mode japonaise a énormément à nous apprendre sur le style. Il faut dire que le kimono incarne l'esprit *chōwa* : non seulement les couleurs de chaque pièce s'harmonisent magnifiquement les unes avec les autres mais, au fond, porter le kimono implique de se vêtir en harmonie avec la nature et de réfléchir soigneusement aux effets de notre apparence sur les autres. Dans un kimono, on est davantage conscient de ce que nos vêtements disent à notre place.

Heureusement pour nous, en matière de style, le *chōwa* n'a que faire de suivre la mode, les règles − ou la foule − ou de rester tendance. Ce n'est pas non plus ce que j'entends par « harmonie avec les autres ». Non, le *chōwa* nous enseigne le pouvoir de la confiance et de la fierté tirées de ce qui nous importe réellement. (Cela peut être se demander ce qui nous sied le mieux, aussi bien en termes de confort que d'apparence.) Quoi que nous portions − que l'on ait un style ou plusieurs −, le *chōwa* nous incite à réfléchir en profondeur, à prendre appui sur ce qui nous tient à cœur pour acquérir la confiance de le partager et embrasser la satisfaction née de l'acceptation de soi.

Voici les principales leçons de ce chapitre :

• **L'équilibre par le style.** Dans ce chapitre, nous verrons comment développer une sensibilité artistique vis-à-vis des couleurs de votre garde-robe et envisager le style comme un geste *chōwa* − un moyen de rechercher l'équilibre dans chaque tenue.

• **Savoir s'ancrer.** Le *chōwa* nous apprend à trouver notre place dans le monde naturel, à nous vêtir en harmonie avec les personnes qui nous entourent, à nous ancrer dans notre histoire et notre héritage et à réfléchir à ce qui est vraiment important à nos yeux.

• **Faire ce que vous aimez, et aimer ce que vous faites.** Le *chōwa* nous apprend à faire le bilan de nos forces et à travailler avec ce dont nous disposons – qu'il s'agisse d'un vêtement (un vieux pull doudou hérité d'une personne chère), d'un trait de caractère (la détermination ou la créativité), d'une passion (l'amour des dessins animés et des arts japonais), d'une saison ou d'une couleur. Pour trouver notre style, pas besoin de changer de passions ou d'en trouver de nouvelles qui nous rendraient plus acceptables ou plus intéressants aux yeux des autres. Trouver notre style, c'est trouver le courage de partager ce qui compte pour nous, tout simplement. Quand on se sent bien dans sa peau, on est beaucoup plus à l'aise en compagnie des autres.

Le kimono – mille ans de mode

L'histoire du kimono (littéralement « la chose qu'on porte ») remonte à la période Heian, il y a plus de mille ans. Mais contrairement à la tenue élaborée et formelle d'alors, le kimono tel que nous le connaissons aujourd'hui se rapproche davantage du *kosode*, un vêtement à manches courtes très populaire durant l'ère Edo, au XVII{e} siècle. À cette époque, ce qui prendrait ensuite le nom de kimono était porté par la quasi-totalité des habitants du Japon, tous âges, sexes ou classes confondus.

Un kimono est une robe longue découpée en forme de « T » classique. Les manches varient de longues et fluides (pour les femmes célibataires) à plus courtes (pour les femmes mariées). D'ailleurs, le kimono moderne est plutôt porté par les femmes, bien que la variante unisexe – le *yukata* d'été en coton – soit également appréciée des hommes. Les tissus présentent une incroyable diversité et oscillent entre des couleurs vives et ornées de motifs extrêmement élaborés (incluant parfois des reproductions d'œuvres d'art ou de poésies célèbres) à une élégance simple et sobre. Un *obi* (tissu de soie, de coton ou de lin) noue le kimono au niveau de la taille. Bien que la coupe n'ait jamais changé, il fut un temps où le style, les couleurs et la richesse des tissus indiquaient la position sociale. Sous l'ère Edo, des règles complexes dictaient le port du kimono approprié en fonction de l'individu et de la saison.

Dans les années cinquante et soixante, le kimono a peu à peu disparu des rues de Tokyo. Et tandis que la génération de ma mère se tournait vers la mode occidentale, le kimono a, de son côté, pris d'assaut l'Ouest. Pour ne donner que quelques exemples, Elsa Schiaparelli a ainsi présenté dès les années 1920 un style « coupé drapé » flou, consciemment inspiré du kimono. Dans les années 1980, ce fut au tour de Yohji Yamamoto de présenter des pièces avant-gardistes, sombres et brutes, mais héritières directes et sans équivoque possible du vêtement porté par les Japonais sous l'ère Edo.

De nos jours, il suffit d'observer la coupe rectangulaire et simple des robes et des chemises dans les magasins de prêt-à-porter comme Muji et des marques scandinaves comme Cos. Le kimono fait preuve d'une remarquable résilience. Au Japon, les jeunes créateurs de mode poursuivent sa libération via de nouvelles tendances et de nouveaux tissus. La dernière mode consiste d'ailleurs à revêtir le kimono de sa mère pour les grandes occasions[21].

---

21 Voir Cliffe (2017).

Rechercher l'équilibre par le style

L'acte de choisir et de porter un kimono illustre la recherche permanente de l'équilibre, l'effort exigeant mais gratifiant d'assurer la bonne harmonie entre tous les éléments de la tenue. À mes yeux, ces leçons s'appliquent tout aussi bien à la mode moderne.

Trouvez l'équilibre dans votre façon de vous habiller, une couche à la fois – Si vous avez l'occasion de lire des œuvres classiques de fiction japonaise, comme *Les Notes de chevet* ou *Le Dit du Genji*, vous remarquerez sans doute que les femmes tendent à cacher leur visage derrière un éventail, ou à se dissimuler derrière des panneaux de bambou, en particulier en présence de prétendants potentiels. À l'époque décrite (la période Heian, entre 794 et 1185), une femme japonaise était par-dessus tout admirée pour ses compétences et talents dans de nombreux arts traditionnels : écrire de la poésie, mener une conversation intelligente, assembler sa tenue. À la cour, la réputation d'une femme en matière de goût vestimentaire ou le simple aperçu d'une magnifique combinaison de couleurs à travers un panneau *shōji* suffisaient à gagner le cœur d'un amant. La tenue superposée – dont, croyez-moi ou non, le kimono n'était qu'une seule des multiples couches – offrait aux femmes d'innombrables options pour combiner les couleurs, des plus agréables aux plus choquantes.

De leur côté, les hommes redoublaient eux aussi d'efforts pour afficher, au moyen de tenues éclatantes et intrigantes, aussi bien leur créativité et leur sensibilité que leur richesse matérielle. Ainsi, on raconte que lorsque le Prince Genji est apparu en personne à un événement printanier dans une magnifique tenue rose et lavande coordonnée, il a provoqué un vif émoi parmi les jeunes femmes (et hommes) présentes[22].

La superposition pour un style typiquement japonais –
S'inventer une tenue en superposant des vêtements est incroyablement pratique : une jolie chemise (même d'été) peut très bien se porter sur un tee-shirt ou un caraco, le tout complété par une veste chaude. Nos pièces préférées n'ont pas besoin de passer l'hiver à se languir dans nos armoires ! La superposition d'habits permet aussi de s'adapter avec plus de souplesse à la météo, couche par couche, jusqu'à trouver la bonne température.

La superposition pour exprimer un goût exquis – Il nous est possible d'exprimer notre créativité et notre sensibilité aux saisons par le mélange et l'assortiment de couleurs et de motifs selon la période de l'année.

Place au confort et à la praticité – Au moment de choisir notre tenue, nous négligeons trop souvent le confort. Au Japon, un look « sur mesure » – ni trop serré ni trop large – est primordial. Lorsque les gens me demandent s'il est confortable de se mouvoir en kimono, ma réponse les surprend souvent. Oui, porter un kimono est très confortable, car bien qu'il oblige à bouger un peu plus lentement, il ne restreint pas la capacité de mouvement – contrairement à la corsetterie de style victorien. Certes, les kimonos sont un peu ajustés, mais juste ce qu'il faut.

En réalité, il arrive que la sensation de déséquilibre et de non-préparation résulte simplement du fait de ne pas avoir

---

22 Voir la conférence donnée au Musée des arts asiatiques de San Francisco le 21 mars 2019 : « The Global Impact of Japanese Fashion », avec Patricia Mears, Miki Higasa et Masafumi Monden, modération par Karin Oen. Disponible ici : https://www.youtube.com/watch?v=kBOeadfaIcw.

sous la main ce dont nous avons besoin, quand nous en avons besoin. N'est-il pas désagréable de devoir fouiller nos poches pour retrouver notre billet ? Ou de manquer d'un sac dans lequel ranger nos documents importants ou notre livre en prévision du métro bondé ? Trouver l'équilibre par notre tenue se résume parfois à accorder la priorité au confort et au côté pratique. Lorsque je porte un kimono, je range mon mouchoir et mon porte-cartes dans ma manche. Je peux aussi glisser des lettres et même un petit livre dans mon *obi* – ainsi qu'un éventail les jours de forte chaleur.

Et vous, quels articles de votre garde-robe vous donnent le sentiment d'être paré à toute éventualité ?

Confort et beauté, en tension

La première fois, c'est souvent l'*obi* qui pose problème. Généralement fabriquée en matière naturelle comme le coton, le lin ou la soie, cette ceinture se noue bien serrée autour de la taille. Vêtue de son premier kimono, ma fille a émis un petit grognement de résistance quand l'habilleuse a serré l'*obi* autour de sa taille. Celle-ci lui a alors lâché d'un ton sec : « Il va falloir t'y faire ! »

Si le port de l'*obi* peut sembler contre nature à première vue, il est en réalité un élément clé de confort. Le mode de vie sédentaire – et les journées que nous passons assis à un bureau ou courbés devant un smartphone ou un écran d'ordinateur – nous pousse à adopter de mauvaises postures qui forcent sur les muscles de notre dos. L'astuce est de laisser un peu de repos à ces muscles que nous faisons travailler si dur la plupart du temps. Quand mon *obi* est bien serré, j'ai la sensation d'une autre sorte de tension. Je me dis « Tiens, c'est comme ça que je suis censée me tenir ». Cette posture droite était pourtant toute naturelle quand on ne passait pas notre vie devant un bureau.

Prendre soin de nos vêtements – Dans le premier chapitre, nous avons abordé le soin à apporter aux matériaux qui composent notre habitat. Depuis le tapis en jonc jusqu'à la table en bois, entretenir et soigner la matière lui permet de mieux nous servir. C'est ce même équilibre qu'il s'agit d'atteindre avec nos vêtements.

Je me surprends souvent à parler à mes habits dans ma tête, à leur adresser une sorte de promesse silencieuse. Je leur dis « Merci pour le service que vous m'avez rendu. Je vous promets de faire de mon mieux pour ne pas vous salir et vous aider à vivre une vie heureuse et longue ». Plus nous faisons durer nos vêtements, mieux notre planète s'en porte. Moins nous achetons de vêtements et plus nous consacrons de temps et d'attention à entretenir les habits que nous possédons, moins nous alimentons la « fast fashion » et moins nous avons besoin d'acheter de nouveaux articles simplement pour disposer de vêtements propres et en bon état.

Après avoir porté un kimono, je le suspends à un cintre spécialement conçu afin de l'aérer jusqu'au lendemain matin. Un kimono ne se lave pas souvent – il faut découdre les pièces rectangulaires, les laver séparément puis les recoudre ensemble. Mais, quoi que nous portions, un peu d'attention et de soin permettent de garder nos vêtements dans le meilleur état possible.

Préparez-vous pour la journée qui arrive – Souvenez-vous qu'en matière d'harmonie vestimentaire, le *chō* de *chōwa* signifie aussi « préparation » et « fait d'être prêt ». Prenez l'habitude de jeter un coup d'œil à vos vêtements. Vous vous sentirez plus d'attaque pour affronter votre journée si vous avez inspecté vos habits la veille au soir. Fini le pli ou le trou surprise dans votre pantalon alors que vous vous apprêtez à passer la porte !

Traitez vos habits avec soin – À la fin de la journée, ne jetez pas vos habits sur le lit, ne les entassez pas au sol. Mettez-vous à leur place. Seriez-vous heureux d'être serré comme une sardine dans une vieille armoire, ou de devoir lutter pour chaque centimètre d'espace dans une penderie surpeuplée ?

Un style harmonieux : s'habiller en fonction du moment, du lieu et de l'occasion

Quand on revêt un kimono dans le respect des traditions, il est généralement nécessaire de consulter un guide protocolaire qui indique le type de kimono approprié selon le lieu, le moment et l'occasion.

Ces guides accordent une importance particulière à l'harmonie avec :
• le moment : l'époque de l'année, la saison, le temps ;
• le lieu : votre destination ;
• l'occasion : s'agit-il d'une occasion formelle, informelle ou d'un événement spécial comme un mariage ? (N'oubliez pas de considérer aussi les personnes susceptibles de s'y rendre.)

Les mêmes leçons *chōwa* qui sous-tendent le port du kimono – s'habiller en harmonie avec les autres personnes, la période de l'année et tout événement ou cérémonie spécifique – nous offrent des pistes pour équilibrer notre garde-robe au quotidien.

Le moment : trouver notre équilibre avec la nature – Le port du kimono est régi par des règles strictes, et certains kimonos ne peuvent être portés qu'à des dates précises.

Quand nous portons des kimonos, nous, les Japonais, faisons de notre mieux pour être *shizen ni awaseru* (en accord avec la nature). J'espère que vous trouverez l'inspiration dans ces différents styles, couleurs et motifs de saison.

• ***Hiver.*** On porte généralement un kimono doublé aux couleurs riches et vives, voire détonantes : vert sombre et orange vif ; rouge Noël et blanc (à l'image de fleurs ou de baies rouges sur la neige).

• ***Printemps.*** Les couleurs se font légères et fraîches : rose lumineux, blanc et vert ; violet et blanc ; jaune jonquille clair et jaune plus profond, plus doré. Le début de la saison voit l'apparition des motifs *ume* (fleurs de prunier) et *sakura* (fleurs de cerisiers). Les motifs floraux se portent tout au long du printemps.

• ***Été.*** On a tendance à porter des kimonos en *usumono* (un tissu translucide). L'été japonais est chaud et humide, et la vision de motifs bleu clair – comme une vague, la pluie ou même des flocons qui tombent – procure une sensation rafraîchissante qui rappelle la brise océanique par une chaude journée. En été, les hommes et les femmes portent également le *yukata*, un kimono estival plus décontracté.

• ***Automne.*** On porte des kimonos en tissu léger également. Les différentes nuances de rouge, d'orange et de jaune évoquent les scènes automnales – les feuilles qui tombent, les rayons de soleil à travers les arbres...

Petit avertissement : il est considéré comme vulgaire et de mauvais goût de porter un kimono aux motifs de fleurs de cerisier lorsque les cerisiers sont en fleur. Les Japonais le voient comme une tentative de concurrencer la nature. Or la nature, la vraie, sera toujours gagnante.

Côté saisonnalité vestimentaire, j'aime garder une longueur d'avance. Mes amis trouvent très drôle de me voir porter une tenue estivale une semaine avant l'arrivée de la chaleur, mais j'adore l'idée de leur annoncer le changement de saison[23].

S'habiller en accord avec les saisons ne signifie pas que vous devez vous précipiter pour acheter le dernier « *must have* » de l'automne ou la dernière robe d'été à la mode. Au contraire, cela vous aidera à résister plus facilement aux montagnes russes de la « *fast fashion* ». S'inspirer de la nature commence par s'exercer à superposer les habits que nous possédons déjà, sans laisser les magazines de mode décider de notre tenue à notre place. Mettez le nez dehors, et voyez quels éléments de votre garde-robe demandent à être portés. Certes, faire tourner vos habits préférés en toute saison exige d'en prendre grand soin, mais l'effort vaut largement le service qu'ils vous rendent, année après année.

Le lieu – s'adapter à ce que nous faisons – Au Japon, nous pensons que chaque facette de notre vie est susceptible d'exiger de nous quelque chose de très différent, et qu'il faut donc s'habiller en conséquence. Certes, les Occidentaux portent un costume et de belles chaussures pour aller au bureau, puis enfilent une tenue plus confortable une fois la journée de travail terminée, mais la division entre les tenues assignées aux différents rôles que nous jouons et aux différents lieux que nous habitons est un

---

23 Ndt : le lien fourni ici par l'auteure vers un site décrivant les différentes règles du port du kimono étant invalide, je propose le suivant, très complet : http://kitsuke.e-monsite.com/

peu plus nette au Japon. La tenue de travail est généralement plus formelle, tandis que les tenues décontractées sont plus explicitement destinées à la détente. Quand je suis au Japon, je me change en moyenne trois fois par jour. Cela peut sembler un peu excessif, mais c'est assez fréquent car les vêtements sont plus adaptés aux « usages » auxquels nous les destinons :

• La **tenue d'intérieur** s'appelle *heya-gi*. À tendance ample, large et décontractée − pantalon relax associé à un haut ample, à capuche, ou bien robe oversize toute douce. Si vous vous sentez d'humeur particulièrement mignonne, il existe même des tenues d'intérieur accordées, spéciales couples.

• La **tenue de tous les jours** s'appelle *fudan-gi*. Il s'agit d'habits pratiques et passe-partout, du genre que vous pouvez porter pour aller en ville, ou rejoindre un ami.

• La **tenue de travail** s'appelle *shigoto-gi*. Au Japon, la tenue de bureau est assez classique, plus formelle qu'au Royaume-Uni et que dans les autres pays occidentaux. Pour les hommes, costume et cravate sont obligatoires sur la plupart des lieux de travail (pas de cravate décalée ni de chemise rose). Les femmes portent des talons, des jupes droites et élégantes qui leur arrivent au genou et des collants neutres.

Cela peut sembler un peu cloisonné − et dans une certaine mesure, c'est le cas. Certaines personnes s'imaginent d'ailleurs le Japon comme une succession infinie de « *salarymen* » identiques, alignés sur les quais du métro, ou d'écoliers dociles en uniforme, assis droits comme des i et prêts à ingurgiter la connaissance. Or, ces stéréotypes dissimulent la fascinante histoire de la passion nippone pour la mode.

Au Japon, la mode a toujours eu des racines populaires. On est loin du tableau de paysans en guenilles et de riches drapés de soieries. Au contraire ! Les familles rurales portaient aussi bien de la soie que du coton, et même les salopettes destinées au travail agricole et les tabliers des vendeurs de rue étaient soigneusement conçus en vue de correspondre à leur utilisation. Dans tous les milieux sociaux régnaient une forte appréciation de la beauté et un amour des différentes tenues portées pour les loisirs, pour les occasions formelles et pour le travail. De nos jours, les Japonais paraissent parfois fiers – voire avec préciosité – de l'uniforme de leur entreprise, pointilleux dans le choix de leur cravate ou même carrément étranges dans leurs tenues vestimentaires en dehors de leur lieu de travail (lors des conventions où les gens se déguisent comme leur personnage de manga ou de jeu vidéo préféré – un passe-temps connu sous le nom de *costume-play*, ou *cosplay*, et désormais apprécié dans le monde entier). Mais cette passion du déguisement provient d'un véritable engouement pour la mode et le style, ainsi que d'un profond sentiment de fierté, à la fois de leur tenue et de ce qu'elle révèle de la façon dont ils vivent leur vie[24].

Je pense que nous pouvons tous apprendre de cette conception démocratique de la mode – ne pas nous laisser dicter nos tenues, mais réfléchir à notre style avec respect : le respect de nous-mêmes et le respect de nos différents rôles. Il y a de la créativité et de la discipline à adapter ce que nous portons aux différentes facettes de notre vie, quelle que soit notre profession.

L'occasion – s'harmoniser avec les autres – On dit que certains motifs « froids », comme les flocons de neige ou les gouttes de pluie, ont des effets relaxants sur les gens qui les

---

24 Source : Stanley-Baker (2014).

contemplent. Célébrer le changement de saison, ou partager des émotions via nos vêtements, c'est ça, le principe du kimono. C'est la sensation de fraîcheur en plein été, la furtive beauté printanière des fleurs de cerisier ou encore la nostalgie des feuilles qui tombent une fois l'automne venu...

L'idée de s'habiller en harmonie avec les autres paraît sûrement très étrange à certains d'entre vous. En Occident, on parle souvent de « déclaration de mode[25] » quand il s'agit d'afficher ou de révéler quelque chose d'exaltant et de personnel à notre sujet. L'esprit *chōwa* n'a pas pour vocation de museler toute expression de l'individualité, mais nous encourage à nous détourner des « déclarations » pour initier des « conversations ». Réfléchir au message que nos habits transmettent requiert également de prêter attention à ce que les autres portent, de la même façon que s'accorder avec la nature exige de prendre garde aux saisons. En effet, exprimer notre sensibilité face aux tenues des autres et contribuer à une vaste et vivante discussion sera aussi révélateur de notre créativité et de notre instinct que la tenue la plus exubérante de notre garde-robe.

Envisager notre tenue dans un esprit *chōwa*, c'est prendre conscience de l'impression que nous créons, quoi que nous portions.

Oubliez le vocabulaire de la compétition, de la rivalité et de l'intimidation dont les magazines et publicités de mode nous bourrent le crâne. À la place, pourquoi ne pas complimenter les autres sur leur tenue et créer délibérément une atmosphère de confiance joviale et décontractée, via vos habits ?

---

25 On trouve souvent l'expression anglaise originale de « *fashion statement* » (ndt).

Trouver votre style

Si le kimono est réputé pour son élégance intemporelle, ses règles complexes et son rapport particulier à la nature, la mode japonaise, elle, est connue pour son originalité. Ses motifs, coupes et couleurs vont de l'hyper stylé – en témoignent la *street fashion* tokyoïte et le *kawaii*, cette mode de l'ultra-mignon qui associe roses pétants, froufrous et accessoires décorés de personnages de manga et issus de la pop culture – au minimalisme épuré à l'extrême, comme les silhouettes sombres et décharnées du créateur Yohji Yamamoto, inspirées du kimono et coupées dans un seul morceau de tissu.

À mon avis, l'originalité de la mode japonaise naît surtout de la tension entre l'injonction sociétale de « s'habiller dans le strict respect des règles » et les efforts pour s'en libérer. Au Japon, on dirait parfois que seules les personnes les plus courageuses et les plus passionnées parviennent à trouver le courage (et le temps) d'être différentes. Beaucoup des jeunes que je connais brûlent d'envie d'exprimer leur individualité, mais la vie quotidienne demeure très stricte, très contrôlée. On exige notamment des jeunes gens qui préparent des entretiens d'embauche qu'ils arborent une coupe de cheveux précise (connue sous le nom de « coupe de recrutement ») et s'achètent un modèle précis de costume (le « costume de recrutement »). Quand j'étais jeune, il n'était pas rare de voir le professeur faire le tour de la classe une règle à la main pour vérifier la longueur des jupes des filles.

Toutefois, si la peur de détonner est particulièrement prononcée au Japon, il nous arrive à tous parfois de peiner à concilier ce que nous pensons être notre « rôle » dans la société avec ce que nous aimerions tant exprimer de notre personnalité.

Dans la dernière partie de ce chapitre, nous allons voir comment le *chōwa* peut nous apprendre à assumer notre individualité, ce qui nous rend uniques. À accepter notre style et nos différences pour découvrir qui nous sommes vraiment. Ensuite, il n'y a plus qu'à trouver le courage de le partager.

Ancrez-vous dans ce que vous aimez vraiment – Croyez-le ou non mais, exception faite de quelques remplacements et réparations, je n'ai pratiquement pas acheté de vêtements au cours de ces vingt-cinq dernières années.

Durant mon premier mariage, ma belle-famille m'a emmenée à Paris. C'était la première fois que je mettais les pieds en Europe et, capitale de la mode oblige, nous avons fait les boutiques. J'en suis restée sans voix – les motifs, les tissus et les couleurs des vêtements me semblaient tout droit venus d'un autre monde. C'était comme contempler des œuvres d'art étrangères. J'ai encore les magnifiques vêtements achetés pendant ce séjour, et ils me plaisent toujours autant qu'à l'époque. (Mes goûts vestimentaires un peu dépassés ont beau en faire rire certains, à mes yeux les choses magnifiques le restent à jamais.)

Ma mère vouait un véritable culte aux magazines de mode japonais. La ferme isolée de ma grand-mère n'offrait, à l'exception d'une sortie mensuelle au cinéma, que très peu de sources de distraction. Ma mère dépensait donc tout l'argent de ses petits boulots – elle travaillait dans un hôpital et cousait des kimonos – dans de magnifiques habits. Elle prenait la photo d'une belle robe, l'emportait chez le tailleur du coin et lui demandait de la reproduire. Aujourd'hui âgée de plus de quatre-vingts ans, elle n'a plus l'occasion de porter de tels vêtements, et me les a donc donnés. Ils comprennent un manteau sur mesure de coupe classique, en laine bleu marine et au col rayé gris et blanc, un magnifique tailleur noir doublé de soie et un incroyable tailleur d'un violet profond. Quand je porte ces tenues vieilles de soixante ans, taillées sur mesure pour ma mère, mais qui me vont à la quasi-perfection, c'est un peu comme si elle était à mes côtés.

Un de mes kimonos préférés appartenait autrefois à ma grand-mère. Son dos est orné d'une libellule. Dans les arts martiaux, la libellule exerce une fascination toute particulière car elle serait dotée d'une vision à trois cent soixante degrés (vous imaginez bien pourquoi un champ de vision si large – cette capacité à voir aussi bien derrière que devant soi – est un atout non négligeable pour un guerrier). Lorsque je me prépare pour un événement important qui exige mon attention pleine et entière, je revêts ce kimono. Il m'aide à m'ancrer et à me stabiliser, comme si ma grand-mère me protégeait.

• Certains de vos vêtements ont-ils une histoire ? S'agit-il de cadeaux de la part de frères et sœurs plus âgés, ou de pièces dénichées dans une friperie et qui ont une signification particulière à vos yeux ? Si vous ne les avez pas portés depuis longtemps, pouvez-vous trouver un moyen de les intégrer à vos tenues de tous les jours ? Rien de tel que de porter un vêtement à haute teneur affective pour se rappeler précisément qui nous sommes.

• Avez-vous déjà réfléchi aux vêtements qui vous rendent heureux ? Demandez-vous pourquoi ils vous procurent tant de bonheur, pourquoi vous ressentez un tel plaisir à l'idée de les porter. Est-ce qu'ils vous détendent ou vous donnent la sensation d'être en accord avec vous-même ? Essayez maintenant de faire la même chose avec les vêtements qui ne vous procurent pas de joie. Pourquoi n'aimez-vous pas les porter ? Sont-ils trop formels ? Vous donnent-ils l'impression de ne pas exprimer votre personnalité ?

Le style, c'est partager ce que vous aimez – Lors d'un trajet en train au cours de notre dernier séjour au Japon, ma fille a acheté un magazine appelé *Tsurutokame* (« La Grue et la Tortue »). C'est un magazine mode et *lifestyle*, à destination des seniors et des jeunes générations en quête d'inspiration rétro et décalée. Ses pages regorgeaient de photos de seniors, dont de nombreux travailleurs ruraux, artisans et vendeurs de *street food*. Les légendes décrivaient avec un humour grinçant aussi bien la fierté qu'ils tiraient de leur travail et de leurs passe-temps, que leurs traitements médicaux quotidiens. Un vieux monsieur à califourchon sur son scooter électrique lançait un clin d'œil par-dessus son épaule, dans une pose tout droit sortie d'*Easy Rider*. Le visage ridé et en gros plan d'une femme aux sourcils froncés, si concentrée sur son bol de nouilles qu'elle en oubliait la présence du photographe. Une autre souriait et exhibait fièrement sa dent en or. Toutes ces photos avaient en commun le bonheur et l'assurance de leur modèle. Au-delà de leur tenue, de l'originalité de leurs passions, de leur mode de vie ou de leur pose – plongé dans une source chaude, détendu et dans le plus simple appareil ou grimaçant par-dessus une barrière de jardin avec un air de rock star –, ils débordaient de vie. Ils débordaient de style.

Au Japon, les gens ont énormément de respect pour les seniors et ce, malgré l'excentricité dont ils peuvent faire preuve. Malheureusement, je crains que ce soit parfois au détriment des jeunes personnes, dont on attend qu'elles ne manifestent ni excentricité, ni décalage. Elles sont censées entrer dans le rang, obéir aux règles et vivre les mêmes vies méticuleusement ordonnées que la génération précédente. Certaines résistent à ce conformisme et assument fièrement leur différence. Mais si beaucoup de jeunes Japonais de ma connaissance rêvent de contre-culture, de cosplay ou de *kawaii*, la pression est telle qu'ils se sentent obligés de se conformer à un ensemble de valeurs à l'ancienne – tout du moins en apparence. Pour éviter d'embarrasser leurs parents ou de recevoir un savon de la part de leurs voisins les plus âgés, ils fourrent leurs vêtements et accessoires les plus audacieux dans un sac à dos et sautent dans le premier train pour le centre-ville, où ils se changent dans des toilettes publiques. Je sais bien que ce n'est pas la faute des jeunes – ils se contentent de faire de leur mieux pour combiner les attentes de la communauté avec leur désir d'émancipation. Ce n'est pas non plus la faute des voisins. Mais je ne peux m'empêcher de trouver que tous ces secrets et toute cette honte sont un véritable gâchis d'opportunités.

Ne serait-il pas merveilleux de pouvoir enfin discuter ouvertement de ce qui nous fait vibrer, de partager davantage pour ne plus se dissimuler les uns aux autres ? Je ne vois pas d'autre chemin vers une harmonie durable que celui qui consiste à partager et à apprécier les passions des autres.

Acceptez ce qui vous rend différent… et brandissez-le bien haut – Les gens ont beau adorer me croiser en kimono à Londres, impossible de nier que cela me catégorise clairement comme « différente ». J'entends parfois : « Quelle tenue unique ! D'où venez-vous ? » L'intention est rarement mauvaise, et pourtant c'est un compliment qui peut s'avérer difficile à recevoir. Au Japon, le mot « unique » revêt en effet une forte connotation négative. Pour vous donner un exemple, « son style est unique » sous-entend de façon acerbe et légèrement désagréable que la personne « n'en fait *vraiment* qu'à sa tête ».

Cependant, j'ai fini par accepter mon style « unique » en comprenant ce que j'aime dans le port du kimono. D'accord, il me distingue des autres Londoniens, mais qu'est-ce qui me plaît au point que je ne puisse y renoncer ?

J'en suis arrivée à la conclusion qu'il s'agit d'une sensation. Porter un kimono me procure une sensation de droiture et de confort, que je sois à Londres ou à Tokyo. Cela m'oblige à rentrer le ventre et à garder le dos droit, et me donne l'impression d'avancer dans le monde en glissant. Porter un kimono me rend heureuse et fière d'être japonaise, et se révèle parfois pratique, par exemple quand je croise des groupes de Japonais perdus à Leicester Square et qui, dès qu'ils aperçoivent ma tenue, viennent me demander de l'aide pour retrouver leur chemin.

Quand nous commençons à assumer ce qui nous distingue des autres – voire ce qui nous rend uniques –, il nous devient plus facile de trouver notre groupe d'appartenance. C'est un sentiment très agréable, en particulier quand les gens sont en lutte avec leur propre style, ou se sentent littéralement (ou métaphoriquement) perdus.

Nous passons notre vie collés les uns aux autres. La fierté. La confiance. Le courage de s'accepter tel que l'on est. Ce sont des valeurs fortes, puissantes. Quand nous assumons ce qui nous rend différents, nous envoyons aux autres un message fort : nous acceptons aussi ce qui fait *leur* différence.

Ne vous contentez pas de vous distinguer, sortez carrément du lot – Au Japon, un célèbre proverbe : *deru kūi wa utareru* (le clou qui dépasse se fait remettre en place à coups de marteau) s'écrit comme suit :

出る杭は打たれる

Ce proverbe évoque la difficulté, voire le mal qu'il y a à se distinguer de quelque manière que ce soit. Cette image dégage beaucoup de violence – surtout si on s'imagine à la place du clou, n'est-ce pas ? Malheureusement, ce proverbe devient souvent réalité. Au Japon, certaines personnes prennent plaisir à dicter aux autres ce qu'ils doivent faire. La moindre déviation de la norme est accueillie avec résistance, parfois avec horreur. Si nous voulons améliorer la situation, en particulier la réprobation concernant les façons de s'habiller, de vivre ou d'aimer considérées comme « anormales » dans nos sociétés, notre meilleur espoir est non seulement de dévier de cette norme, mais surtout de l'assumer haut et fort afin de s'immuniser contre les attaques. Il faut vivre la tête haute.

Toute ma vie, j'ai fait les choses à ma manière – certains diront un peu en dehors des clous –, ce qui m'a souvent valu d'être moquée et critiquée. J'ai même été harcelée assez méchamment à l'école. Même une fois, au Royaume-Uni, mon indépendance a inspiré à certains membres de la communauté nippone la conclusion que j'étais une femme difficile, qui n'en faisait qu'à sa tête. La création de mon association a achevé de les convaincre que j'aurais mieux fait de rester dans le rang. Autant vous dire que ça n'a pas toujours été facile.

J'ai souvent fait ce cauchemar où je retournais à l'école et subissais les méchancetés d'une bande de petits caïds de mon enfance. Le retour de ce rêve, une fois adulte et juste au moment où je sentais ma nouvelle vie anglaise prendre forme, m'a perturbée. De toute évidence, je m'inquiétais toujours inconsciemment de ce qui me rendait différente de mon entourage. J'ai fini par m'en ouvrir à une amie. Elle a éclaté de rire.

« *Akemi san*, tu n'es plus *deru kūi* [le clou qui dépasse], m'a-t-elle dit. Tu es *de-sugi-chatta* [le clou qui jaillit] ! »

Elle m'a expliqué que depuis notre rencontre, j'avais toujours mené ma vie comme je l'entendais. Dans le passé, les gens avaient tenté de me rabaisser, de m'interdire certaines choses – en tant que femme divorcée, épouse d'un étranger ou Japonaise.

Mon amie a continué. « Pour le meilleur ou pour le pire, tu n'es plus la personne que tu étais. Tu as passé tellement de temps à mener ta vie à ta façon que personne ne pourrait plus t'en empêcher. Tu es le clou que personne ne pourra plus jamais enfoncer, même avec la meilleure volonté du monde. »

Voici un autre proverbe japonais qui pourrait s'avérer utile si vous envisagez de trouver votre propre style, de mener votre vie à votre guise et d'exprimer votre personnalité profonde :

継続は力なり

Keizoku wa chikara nari

« De la persistance naît la puissance »

La traduction littérale serait plutôt « la force tirée de la continuation », mais je préfère « de la persistance naît la puissance ». Si vous tenez assez à une chose, plus vous la pratiquez – que ce soit un passe-temps, un talent, une certaine façon de vivre ou un travail – meilleur vous deviendrez. Finalement, elle vous paraîtra aussi naturelle que la respiration. C'est ainsi qu'on devient qui on veut devenir : on trouve sa voie et on s'accroche. Et une fois qu'on sait qui on est, et ce à quoi on tient vraiment, on subit moins la pression de suivre la mode, d'aller voir le dernier blockbuster au cinéma ou de faire comme tout le monde.

• Trouver notre style se résume à apprendre à vivre, travailler, s'habiller et tracer notre chemin avec confiance, fierté et honneur. Plus nous sommes heureux de nous-mêmes, plus nous sommes confiants et plus nous sommes prêts à aider les autres.

Une journée royale

Ma fille et moi avons un jour été conviées à assister au concours hippique le plus célèbre et le plus mondain du Royaume-Uni, le Royal Ascot. Rien dans notre garde-robe ne semblait correspondre au *dress code* exigé par une telle invitation. Après avoir longuement discuté de ce que nous allions porter et malgré mes craintes que cette tenue ne soit pas conforme au règlement, j'ai fini par opter pour un kimono.

À notre arrivée, je me suis sentie déboussolée au milieu de cette marée de femmes majestueuses, qui semblaient toutes en lice pour le prix du couvre-chef le plus démesuré. Je portais moi aussi un chapeau, inspiré d'un voile de style XIIe siècle, en accord avec mon kimono et qui présentait l'avantage de masquer mon visage. (Si ma fille et moi trouvions certaines tenues absolument extraordinaires, d'autres s'agrémentaient de détails tellement drôles qu'il nous était parfois difficile de garder notre sérieux.)

Nous nous trouvions juste à côté de l'enceinte royale, un espace sur invitation uniquement et de toute évidence réservé à une certaine classe sociale. À siroter du champagne en mangeant des fraises dans mon kimono bleu clair, au milieu de toutes ces robes magnifiques, je ne me sentais pas du tout à ma place. J'étais persuadée que des doigts accusateurs ne tarderaient pas à pointer vers moi, révélant la supercherie de ma présence.

Après un petit moment, des femmes se sont approchées de nous. Elles étaient très intriguées par mon kimono, et au fil de leurs questions, j'ai enfin commencé à me détendre un peu. J'avais beau ne pas pouvoir rivaliser avec leur élégance, j'arborais mon propre style. J'avais honoré mes racines et étais, en quelque sorte, parvenue à « passer le test » aux yeux de ces gens pour lesquels l'apparence est une question des plus sérieuses. Mon kimono me permettait donc à la fois de m'intégrer et de me distinguer – à mon avis, c'est exactement ce genre d'équilibre auquel nous aspirons quand nous choisissons notre tenue. Et en cas de réussite, sensations fortes garanties.

S'habiller en harmonie avec les saisons

Couleurs hivernales
Vert et orange ; rouge et blanc ; vert et blanc.

Motifs hivernaux
Bambou, pin, camélia ou *ume* (fleurs de prunier).

Couleurs printanières
Rose, blanc et vert ; violet et blanc ; jaune clair et jaune plus sombre.

Motifs printaniers
Ume (fleurs de prunier) ou *sakura* (fleurs de cerisier).

Couleurs estivales
Bleu clair, lavande, bleu foncé.

Motifs estivaux
Gouttes de pluie, flocons de neige, motifs de *yukata* simples

ou rayés (les *yukata* estivaux sont souvent bleu marine sur blanc ou blanc sur bleu marine).

Couleurs automnales

Violets, orangés et verts ; rouges, orangés et jaunes (comme les feuilles mortes), ou jaunes et orangés (pour capturer la beauté de la lumière d'automne).

Motifs automnaux

Feuilles mortes, rayons de soleil à travers les arbres, roseau à plume, lune, libellule.

LEÇON DE *CHŌWA* :
TROUVEZ VOTRE STYLE

Découvrez ce que vous aimez, puis partagez-le.
• Trouvez ce qui est important pour vous.
• Chaque jour, réservez un moment spécialement pour cela.
Et persévérez dans le temps.
• Gardez à l'esprit que « de la persistance naît la puissance ».
• Comment pourriez-vous partager votre passion ?

Le clou qui dépasse se fait remettre à sa place.
• Qu'est-ce qui vous donne l'impression de « dépasser » ?
• Comment pourriez-vous tourner cette différence à votre avantage afin d'assumer ce qui vous rend unique et devenir quelqu'un que « personne ne pourra plus enfoncer, même avec la meilleure volonté du monde » ?

II

VIVRE EN HARMONIE
AVEC LES AUTRES

5

ÉCOUTER LES AUTRES
ET SE CONNAÎTRE SOI-MÊME

« Les mots que l'on n'a pas dits
sont les fleurs du silence. »

Proverbe japonais

Nous vivons avec les autres. Ils nous tiennent compagnie, nous soutiennent, nous guident et nous font parfois très mal. Notre manière de les traiter, et leur manière de nous traiter en retour, façonnent une grande part de notre personnalité. Mais si nous passons chaque jour de notre vie en leur compagnie, il nous arrive souvent de ne pas les comprendre. Une incompréhension ou un mot dur peuvent vite nous amener à douter de notre relation avec un ami, un collègue ou un partenaire, et perturber notre équilibre émotionnel. La sensation d'avoir déçu compte parmi les plus douloureuses : les émotions comme la culpabilité, la honte ou le sentiment de ne pas être à la hauteur sont envahissantes et s'inscrivent dans la durée. Si nous les laissons faire, elles s'emparent des rênes de notre vie.

Comme je l'ai mentionné plus tôt, le mot japonais pour « soi » est *ji-bun*. Il signifie « la part de soi-même » et suggère notre appartenance à un « tout » plus grand. Quand on réfléchit aux émotions les plus problématiques – la sensation d'insécurité, l'impression de ne pas être à la hauteur des attentes, le cœur brisé, la colère ou l'échec – on se rend compte qu'elles sont généralement en rapport avec les autres. (La mauvaise humeur d'un collègue ou d'un proche ne finit-elle pas souvent par « déteindre » sur vous ?) À l'image du monde naturel, l'équilibre de notre écosystème émotionnel est souvent précaire, et ne passe pas par une « uniformisation » de notre vie émotionnelle. Les émotions vont et viennent. Notre état mental est en évolution permanente. Ce que nous pouvons faire en revanche, c'est nous engager à vivre en harmonie active avec les autres.

Dans ce chapitre, vous découvrirez quelques pistes pouvant vous aider à mener une vie émotionnelle plus saine. La principale leçon étant que notre équilibre interne débute par une plus grande attention accordée à la vie émotionnelle d'autrui.

• **Lire l'ambiance.** Une vie vécue de façon *chōwa* élève notre degré de sensibilité émotionnelle. En apprenant à nous accorder à l'atmosphère d'une pièce, au « ici et maintenant » d'une conversation, nous observons plus calmement les pensées qui nous traversent et – dans un état plus détendu et réceptif – mettons plus facilement les autres à l'aise.

• **Améliorer nos relations et apprendre à gérer les émotions intenses.** Lorsque nous sommes en proie à des émotions difficiles telles que la colère et la frustration, tout « centrage » semble impossible. Face à tant de négativité, le *chōwa* nous aide à repenser nos relations et à mieux les gérer.

Je souhaite partager avec vous un poème écrit par mon père :

Quand tu regardes dans le miroir, que vois-tu ?
Si tu ne te vois pas clairement, peut-être n'es-tu pas heureux.
Quand ton esprit est embrouillé, tu ne te vois pas clairement.

Même en nettoyant le miroir, tu ne te vois pas clairement.
Aimes-tu chaque jour ?
Travailles-tu avec honneur ?
Aides-tu les personnes qui en ont besoin ?

Ce poème part du fait de penser à soi, du fait de reconnaître que l'on n'est pas heureux, pour basculer sur des questions qui encouragent à arrêter de se regarder le nombril et à se reconnecter au monde extérieur. Quand on cherche l'équilibre interne, il est parfaitement logique à mes yeux de commencer par étendre notre sphère de conscience pour y inclure les autres.

Lire l'ambiance

Vous est-il déjà arrivé d'éviter un sujet ou de choisir vos mots avec soin afin de ne pas mettre une personne mal à l'aise ? De fermer une porte en douceur pour éviter de déranger votre enfant, votre partenaire ou votre colocataire en plein travail ou profondément endormi ? Si oui, alors vous pratiquez peut-être déjà une technique que les écoliers japonais apprennent très tôt : « lire l'ambiance ».

空気を読む
kuuki wo yomu

Lire l'ambiance consiste à observer un lieu (une salle de classe ou de réunion) en restant immobile et calme, afin de percevoir les minuscules variations de son atmosphère. Voyez ça comme un moyen de prendre la température émotionnelle d'une pièce, qui se pratique également en situation de tête-à-tête. Cette technique – beaucoup moins mystique qu'elle n'y paraît – ne se limite toutefois pas à deviner les états émotionnels des autres personnes présentes, et implique une multitude de tout petits gestes destinés à apporter de la sérénité, de l'harmonie et du calme. C'est l'apprentissage de toute une vie. Pour « lire l'ambiance », il faut vous accorder aussi bien à ce qui se passe en vous qu'à ce qui se passe chez l'autre. Les étapes suivantes sont aussi simples qu'instructives.

Entraînez-vous au calme – Au Japon, nous avons ce proverbe qui dit : « Le calme est l'huile qui fait tourner le monde sans accroc ». La première étape pour lire l'ambiance est de vous entraîner au calme. Ça n'implique pas que vous vous déconnectiez de ce qui se passe. Au contraire. Voyez-vous comme un récepteur, un instrument destiné à percevoir les signaux non verbaux. Débarrassez-vous de l'impression de devoir combler les pauses ou les silences gênés des conversations. Parler n'est pas toujours aussi utile qu'on le pense.

Laissez l'initiative à votre interlocuteur – Si chaque conversation est une recherche d'équilibre, nos discussions ressemblent malheureusement trop souvent à des compétitions. Nous sommes tentés d'évoquer nos vies ou de raconter nos histoires avant même de nous enquérir de l'autre. Pourtant, laisser votre interlocuteur initier la conversation et lui poser des questions témoigne de votre intérêt véritable. C'est ce qu'on appelle l'écoute active. Vous serez surpris de la vitesse à laquelle l'autre personne vous retournera la faveur. Plus on pratique l'écoute active, plus les personnes qui nous entourent suivent notre exemple.

Les conseils peuvent attendre – Que vous tentiez de régler un souci professionnel au travail ou écoutiez votre enfant vous raconter un problème rencontré à l'école, je suis sûre que vous avez déjà ressenti la vive impulsion de conseiller, de suggérer ou de rapporter la situation évoquée à votre propre expérience : « C'est pareil pour moi... » Cette impulsion du « moi, moi, moi » ne part pas d'une mauvaise intention : nous exprimons notre empathie à notre interlocuteur. Mais cette empathie tend à entraver la compréhension. Le *chōwa* exige que l'on se renseigne avant d'agir pour rééquilibrer une situation. Alors, quand vous parlez à une autre personne, écoutez-la vraiment. Une fois qu'elle s'est tue, laissez-vous le temps de digérer ses paroles avant de répondre. Accorder quelques moments supplémentaires de silence permet à votre interlocuteur de poursuivre s'il le souhaite.

Faites preuve de générosité dans vos réactions – Quand vous écoutez votre interlocuteur, en particulier s'il vous parle d'un sujet personnel ou douloureux, demandez-vous : « Comment puis-je mettre cette personne à l'aise ? » Un tout petit geste, comme un sourire ou une question ouverte, suffit le plus souvent. Si vous réconfortez un ami proche, assurez-le de votre compréhension, de votre écoute et de votre soutien. Créez un moment paisible afin que l'autre puisse poursuivre s'il en a besoin, ou garder le silence s'il le souhaite[26].

Élargissez votre attention émotionnelle au-delà de vous-même – Élargir votre attention émotionnelle pour inclure les autres est simple comme faire vos « devoirs émotionnels ».

---

26 Pour apprendre à utiliser votre pleine conscience afin de réagir plus généreusement aux autres et au monde en général, n'hésitez pas à aller jeter un œil à ces conférences de Chris Cullen : Compassion (Part 1): https://vimeo.com/25622139 and Compassion (Part 2): https://vimeo.com/25642710.

Il s'agit d'évaluer votre ressenti et d'accorder un peu plus d'attention à celui des autres.

Quand nous rejouons une conversation dans notre tête – comme c'est souvent le cas quand nous avons l'impression d'avoir fait une gaffe –, nous réalisons souvent que, si nous avons dit quelque chose d'inutile, voire de déplaisant, c'est probablement par nervosité, frustration, colère ou désir de plaire. Quand les émotions prennent le contrôle, nous finissons par dire des choses que nous regrettons ensuite. Il est possible d'éviter ce genre de situation en considérant nos émotions avec un peu de hauteur. La prochaine fois que vous vous sentez dépassé ou emporté par une émotion, dites-vous que « c'est la colère qui parle » ou « c'est la frustration qui parle ». Entraînez-vous à nommer et identifier vos ressentis, surtout si vous craignez de laisser s'échapper des paroles que vous regretterez par la suite. Vous ne tarderez pas à constater que quand vous prêtez une attention plus douce et plus objective à votre ressenti, vos émotions n'ont plus autant de prise sur vous.

Une fois que vous avez pris du recul sur vos pensées et appris à les observer avec un peu plus d'objectivité, vous êtes mieux placé pour vous ouvrir aux émotions des autres. La prochaine fois que vous parlez à quelqu'un, essayez de lui accorder votre attention émotionnelle. Demandez-vous « Comment va-t-il ? » Nous devrions tous avoir en permanence à l'esprit que nous faisons partie du même écosystème émotionnel. En général, si l'équilibre d'une pièce est perturbé, le nôtre l'est aussi. Faire consciemment le tour de la pièce et de l'état émotionnel de chacun (même simplement dans notre tête) nous permet de réagir avec plus de bienveillance. Par exemple, si un collègue fixe le vide au beau milieu d'une réunion, posez-lui une question directe pour le remettre sur les rails. Ou si un ami est plus calme qu'à son habitude, offrez-lui l'opportunité d'aborder un sujet qui lui plaît. Un acte de générosité peut insuffler une nouvelle énergie dans la pièce. Et lorsqu'une personne fait preuve de davantage de considération envers les autres, ceux-ci ne tardent pas à percevoir les bénéfices du partage de la charge émotionnelle.

Que pouvez-vous faire aujourd'hui pour influer de façon positive et légère sur votre écosystème émotionnel ?

Le soir, faites un petit point sur le déroulement de votre journée, que vous ayez essayé d'écouter de façon plus active ou simplement d'être plus présent avec les autres en général. Cela vous a-t-il permis d'apaiser une confrontation ou d'aider une personne à se sentir plus à l'aise en votre compagnie ?

Les bilans émotionnels

Après la naissance de ma fille, je n'étais plus uniquement responsable de ma petite personne. J'ai dû m'accorder à ses besoins et émotions : avait-elle faim ? Était-elle fatiguée ? Avait-elle chaud ou froid ?

Cette attention n'a jamais faibli. Dès que j'entendais ma fille rentrer de l'école, je cessais toute activité et écoutais la porte se fermer. Avait-elle été claquée ? Fermée avec douceur ? C'était le premier indice sur le déroulement de sa journée et sur son humeur. Puis je l'entendais crier *Tadaima !* Je suis rentrée. Et je répondais *Okaerinasai !* Bienvenue à la maison.

Si elle chantait *Tadaima !* à bout de souffle et avec légèreté, j'imaginais qu'elle s'était laissé emporter par la conversation avec ses amies et avait dû courir jusqu'à la maison pour ne pas être en retard pour la préparation du repas. Mais si son *Tadaima !* sonnait terne ou apathique, je craignais alors qu'un incident soit arrivé – une querelle avec une amie, ou une mauvaise note...

Peut-être partagez-vous aussi ce type de « code » avec les membres de votre famille. Souvenez-vous de prendre chaque jour le temps d'évaluer émotionnellement vos êtres aimés. Vous arriverez ainsi à détecter quand l'un d'entre eux est malheureux ou déséquilibré, et serez en mesure de réagir.

Goûts, aversions et préférences personnelles

Nos goûts et préférences forgent nos amitiés et conditionnent notre quête de partenaires amoureux. Nous tendons naturellement à graviter autour de personnes qui nous sont similaires et apprécient les mêmes choses que nous – des gens avec lesquels nous partageons. Mais il arrive aussi que l'expression de préférences marquées soit source d'ennuis.

Au Japon, on estime qu'accorder trop d'importance aux goûts personnels est un comportement enfantin, voire égoïste, qui diminue notre attention aux autres. Lorsqu'un Japonais décline une invitation ou une permission de reprendre une part de gâteau, il dit rarement « non ». Plutôt que de refuser explicitement, nous préférons dire « *chotto* », ce qui signifie grosso modo « C'est un peu difficile ». Même en cas de forte répugnance – une profonde aversion pour les champignons ou pour un fruit –, nous refusons rarement de façon catégorique et sommes très peu susceptibles d'exprimer un fort dégoût. Ce comportement vous paraît peut-être effacé, ou exagérément docile, et je dois avouer que c'est parfois exténuant. Mais d'un autre côté, nos dégoûts et aversions se transforment parfois en une succession de portes fermées qui finissent par conditionner notre vie :

nous évitons de fréquenter telle personne, d'écouter tel type de musique, de manger tel type de nourriture. Apprendre à se libérer des vérités auxquelles nous nous accrochons – souvent depuis l'enfance – à propos de nos goûts et dégoûts peut faire l'effet d'un véritable soulagement. Toutefois, faire preuve de davantage de souplesse ne signifie pas faire des compromis avec nous-mêmes, mais plutôt garder toutes les options ouvertes et apprendre à nous laisser un peu plus porter par les événements. Qui sait, peut-être êtes-vous plus souple et plus aventureux que vous ne le pensiez ?

Pour vous aider à assouplir vos différents goûts, aversions et préférences personnelles, j'ai sélectionné un point de grammaire japonaise de base. La grammaire japonaise est très déconcertante pour les étudiants francophones. Les mots semblent dans le désordre – le verbe vient en fin de phrase et on n'utilise que très peu de pronoms. Les gens se repèrent généralement au contexte pour déterminer si l'on dit « Aimez-vous les pommes ? » ou « J'aime les pommes. »

Prenons la phrase « J'aime les pommes ».

私はリンゴが好きです
Watashi wa ringo ga sukidesu

Ringo signifie « les pommes ». *Ga* est un participe qui, associé à *suki*, signifie « j'aime ». Alors qu'est-ce qui fait que cette phrase signifie « *j'aime* les pommes » plutôt que « *je n'aime pas* les pommes » ? C'est le dernier mot, *desu*.

« Je n'aime pas les pommes » se dit :

私はリンゴが好きではありません
Watashi wa ringo ga sukide wa arimasen

Alors oui, écouter du japonais est un véritable exercice de concentration. Il faut attendre la fin de la phrase pour la comprendre. Mais cela laisse aux locuteurs le temps de réfléchir à leur réponse et de repousser le moment de s'engager (est-ce que j'aime les pommes ou est-ce que je n'aime pas les pommes ?) jusqu'au dernier moment.

Si votre hôtesse vous demande « Aimez-vous les pommes ? », il serait judicieux de ne pas exprimer trop vite votre aversion. Peut-être a-t-elle prévu une tarte aux pommes pour le dessert.

Prenez un petit instant supplémentaire – Cela pourrait vous éviter de mettre les pieds dans le plat ou de blesser les sentiments d'autrui quand vous exprimez une préférence personnelle.

Mettez vos préférences personnelles de côté – Le *chōwa* ne consiste pas à taire nos préférences ou opinions dans l'intérêt de l'harmonie sociale, mais plutôt à ne pas se fermer de portes, à être conscient et attentif aux autres et à accueillir le soulagement qui accompagne le bouleversement de nos idées préconçues.

Savoir se comporter avec les personnes que l'on n'aime pas

Que ressent-on quand on n'aime pas une personne ? Si vous êtes comme moi, lorsque vous détestez quelqu'un, vous pouvez sentir une vague douloureuse d'aversion et de haine se répandre dans votre corps. Votre visage se rigidifie, votre mâchoire et votre nuque se tendent.

Ce n'est pas un problème, nous sommes tous passés par là. Mais si vous réfléchissez une minute, vous réalisez vite que ce n'est pas – non plus – une obligation.

Quand j'étais jeune mariée, j'assistais aux mêmes cours de cérémonie du thé qu'une femme du nom d'Akiko, jeune mariée elle aussi. Contrairement à moi, elle avait l'esprit cruel et un sens de l'humour désagréable. Elle prenait plaisir à se moquer des autres élèves, à vanter son statut de femme nouvellement mariée et à railler quiconque avait le malheur de commettre une erreur. Je la trouvais si insupportable que ma frustration a fini par l'emporter. J'ai gonflé les joues et soufflé bruyamment. Akiko a levé les yeux. Je me suis empressée d'ôter toute amertume de mon visage et de m'absorber dans la contemplation de mon éventail.

Ma belle-mère m'accompagnait et n'a pas manqué de le remarquer. Sur le chemin du retour, elle m'a demandé : « Que se passe-t-il entre toi et Akiko-san ? »

— Je ne sais pas. Je ne l'aime pas, c'est tout », ai-je répondu honnêtement. Il y avait trop de raisons pour que je les cite toutes.

— Y a-t-il quelque chose que tu aimes chez elle ? », m'a-t-elle alors gentiment demandé.

J'ai longuement réfléchi. Il y avait bien ce sens de l'humour corrosif. Après réflexion, la plupart des traits qui me déplaisaient chez Akiko étaient des comportements que je redoutais de ma propre personne : ne devenais-je pas snob ? Ne m'inquiétais-je pas beaucoup trop du regard des autres et de mon image ?

Le *chōwa* nous enseigne à modifier aussi bien notre rapport à nos préférences que notre rapport à autrui. Embrasser l'opportunité de changer notre relation avec une personne que l'on juge difficile (ou que l'on n'aime pas) peut nous libérer d'un grand poids.

Gérer les émotions difficiles

J'essaye d'aborder les émotions difficiles sous un angle philosophique. Quand je suis en colère, triste, frustrée ou quand je ressens une douleur physique, j'essaye de me dire :

« C'est la vie. Je suis en vie. » En cas de coup dur, les « émotions négatives » sont une réaction naturelle. Elles font partie de la vie et possèdent leur beauté propre. Mais au beau milieu d'un accès de rage, ou dans les tréfonds de la honte, voir les choses ainsi est – bien évidemment – beaucoup plus facile à dire qu'à faire.

Voici quelques pistes pour gérer deux des émotions parmi les plus douloureuses. La première se dirige souvent vers autrui : la colère. La seconde se dirige généralement vers nous-mêmes : la frustration.

La colère

Il arrive qu'elle ne produise rien de positif, et je suis persuadée que nous le savons tous parfaitement. La colère nous aveugle face à nos propres fautes. Nous mettre à la place des autres nous devient plus difficile. Réagir à une situation avec colère peut devenir une mauvaise habitude, qu'il s'agisse de surréagir lorsqu'un passant nous heurte par inadvertance, ou face à l'erreur honnête d'un ami.

D'un côté, notre colère est logique et naît de notre envie de repousser l'autre, de lui communiquer notre ressenti. Mais il nous est possible de le faire autrement.

Essayez la réaction opposée – Si un voyageur vous pousse dans le bus, pourquoi ne pas en rire au lieu de lui aboyer dessus ? Si vous êtes en désaccord radical avec une personne, pourquoi ne pas convenir du fait que vous voyez chacun les choses à votre manière ? Il s'agit aussi bien de désamorcer votre colère que de désarmer l'autre, en particulier s'il cherche le conflit. Équilibrer ce type de rencontre rend la vie plus agréable pour tout le monde, et permet de prendre du recul par rapport aux personnes conflictuelles.

Écrivez votre colère «légitime» – Je me souviens d'un appel téléphonique de mon amie Junko-san. Nous avions beaucoup de choses à nous raconter et notre conversation a fini par dévier sur son fiancé. Ils venaient d'avoir une très grosse dispute, achevée par les hurlements à pleins poumons de ce dernier. J'étais très surprise car elle semblait très calme, presque joyeuse.

Elle m'a alors raconté que tandis qu'il hurlait, elle avait quitté la pièce et l'avait laissé fulminer. Elle avait tranquillement fermé la porte de la salle à manger. Respiré profondément trois fois. Laissé son rythme cardiaque ralentir. Puis, elle s'était assise à la table à manger face à une feuille blanche et avait écrit tout ce qu'elle ressentait dans une lettre destinée à son fiancé. Elle y expliquait pourquoi elle considérait comme inacceptable qu'il lui crie ainsi dessus, peu importe l'importance de sa colère. Elle prévenait qu'elle n'était pas prête à contracter un mariage dans lequel ce genre de cris ferait partie intégrante de leur vie quotidienne. Une fois tout ceci couché noir sur blanc, elle l'avait rejoint et lui avait tendu la lettre. Au début, ça n'avait fait qu'attiser sa colère. Elle lui avait alors expliqué qu'elle était trop en colère pour exprimer ses émotions et qu'elle avait préféré les écrire.

Après lui avoir déclaré qu'il était libre d'en faire de même, elle avait quitté la maison pour aller jouer au tennis avec ses amies. À son retour, une lettre d'excuses de son fiancé l'attendait sur sa coiffeuse.

Examinez votre colère afin qu'elle travaille pour vous et non contre vous – Depuis cet appel, j'ai entendu parler de plusieurs autres femmes qui avaient utilisé la technique de Junko-san : écrire leur colère sur une feuille de papier et donner celle-ci à leur mari. La prochaine fois que vous vous mettrez en colère contre votre partenaire ou votre colocataire, pourquoi ne pas essayer, vous aussi ?

La frustration

La quête de l'équilibre n'est pas toujours aisée. Vous connaîtrez des revers, rencontrerez des obstacles et vous perdrez dans des impasses. La frustration est l'une des émotions humaines les plus douloureuses. Nous exigeons tant de nous-mêmes que nous devenons notre pire critique. Nos attentes sont parfois si élevées que la déception est inévitable. Le proverbe suivant est très populaire au Japon :

七転び八起き

nana korobi yaoki

« Si tu n'y arrives pas la première fois, essaye encore. » À mes yeux, ce proverbe illustre parfaitement le sentiment éprouvé en cas d'échec, car il se traduit littéralement par « tomber sept fois, se relever huit ». Nous devons tous accepter les chutes. Je vous conseille de l'accepter et de continuer votre vie. Vous tomberez sept fois. Vous tomberez peut-être même plus de sept fois. L'important est que vous vous releviez.

Certains problèmes sont trop gros pour être résolus

Mon premier mari et moi avons divorcé en 1989. J'avais beau savoir que c'était la meilleure chose à faire, je n'avais qu'une très vague idée de la suite des événements. Après notre séparation, j'ai peu à peu réalisé que le déséquilibre ne venait pas de l'intérieur de moi, mais de mon environnement – l'univers qui m'entourait était bancal. Pour la première fois, la société dans laquelle je vivais m'apparaissait clairement.

Je devais trouver du travail pour subvenir aux besoins de ma fille, encore bébé, et aux miens. Mais les emplois qui m'intéressaient requéraient souvent que j'indique mon statut marital, et cocher « divorcée » sur les formulaires de candidature m'a fermé un grand nombre de portes. J'ai également dû trouver une crèche pour ma fille – et même là, on m'a demandé pourquoi j'étais mère célibataire. À l'époque, on n'entendait pratiquement jamais parler de parent divorcé au Japon. Plus j'y pensais et moins je voulais que ma fille grandisse dans une société pareille. Je craignais que si nous restions au Japon, ma fille et moi ne cessions d'être rabaissées de la sorte, encore et encore, jusqu'à notre destruction.

On se tient parfois pour responsable de problèmes qui nous sont en réalité complètement extérieurs, comme un environnement de travail ou un partenaire toxique.

Dans ce genre de situation, on a beau faire de son mieux pour amener un peu d'équilibre, il est quasiment impossible de changer les autres ou d'améliorer un environnement qui n'est tout simplement pas bon pour nous. Il arrive donc que la seule solution, la meilleure chose à faire, aussi douloureuse qu'elle puisse être, soit de couper net et de tourner la page.

LEÇON DE *CHŌWA* :
ÉCOUTER LES AUTRES
ET SE CONNAÎTRE SOI-MÊME

Écoutez les autres

Entraînez-vous à l'écoute active :

• Soyez calme (accordez votre attention pleine et entière aux paroles de la personne qui vous fait face).

• Laissez l'autre commencer (laissez votre interlocuteur partager ses nouvelles avant de raconter les vôtres).

• Patientez. Parfois le silence est la meilleure des réponses ; votre interlocuteur pourrait avoir d'autres choses à dire.

• Efforcez-vous de répondre avec générosité, que cela implique de parler ou de garder le silence. Comment pouvez-vous mettre votre interlocuteur à l'aise ?

Comment vous comporter avec les personnes que vous n'aimez pas

• Pensez à une personne que vous n'aimez pas. Dressez la liste de ce qui vous déplaît chez elle.

• Puis la liste de ce que vous appréciez.

• Continuez jusqu'à ce que la liste de ses qualités soit au moins aussi longue que celle de ses défauts.

Connaissez-vous vous-même

Posez-vous les questions suivantes, inspirées du poème de mon père :

• Comment apprécier davantage la vie quotidienne ?

• Comment travailler avec honneur ?

• Comment aider les autres ?

6

APPRENDRE À APPRENDRE, ENSEIGNER À NOS ENSEIGNANTS

*« Les épreuves forment la jeunesse,
même quand nous devons les provoquer. »*

Depuis le XIIe siècle jusqu'aux années 1870, le Japon était, dans sa grande majorité, gouverné par de puissants *Daimyo*. Afin de garantir leur pouvoir et leur influence, ces seigneurs comptaient sur les samouraïs, formés à maîtriser nombre d'arts guerriers, dont l'*iaidō* (l'art de tirer son épée), le *battōdō* (l'art de se servir de son épée) et le *bushidō* (le code d'honneur des guerriers). Une fois la bataille terminée, les samouraïs rentraient dans leur famille. Pour la plupart, ils menaient une vie paisible à la campagne et s'adonnaient à des activités artistiques telles que le *shodō* (l'art de la calligraphie), le *kadō* (l'art de l'arrangement floral) et le *chadō* (l'art du thé). À l'instar de l'apprentissage de la bonne gestion d'une ferme, ces pans artistiques et civils revêtaient autant d'importance dans leur éducation formelle de samouraïs que les arts de la guerre. C'était une éducation équilibrée, façonnée non pas par le conflit, mais par l'aspiration à une vie familiale harmonieuse et la capacité d'apprécier la beauté de la nature.

L'éducation japonaise moderne accorde autant d'importance à chacune des diverses compétences. Plutôt que de mettre l'accent uniquement sur le travail académique, on enseigne aux enfants aussi bien la valeur du travail d'équipe qu'à bien s'entendre avec les autres et à devenir des personnes attentives, capables de *lire l'ambiance* de la salle de classe comme celle de leur futur lieu de travail. Pour avoir vécu et enseigné au Royaume-Uni et au Japon, j'ai pu constater que l'éducation japonaise tendait parfois à insister un peu trop sur la nécessité de « rentrer dans le rang ». Il me semble qu'à toutes les périodes de la vie, nous devons apprendre à la fois à répondre aux besoins du groupe et à questionner les principes « d'harmonie » qui soudent ce groupe. Voici les principales leçons que nous aborderons dans ce chapitre.

• **Apprendre à apprendre.** Maîtriser le *chōwa* consiste à être apte à réagir à n'importe quelle situation de façon aussi courageuse et positive que possible. Certes, quand nous imprégnons notre apprentissage de *chōwa* nous sommes plus efficaces, mais surtout, nous continuons à apprendre tout au long de notre vie.

• **Enseigner à nos professeurs.** La réticence des étudiants japonais à formuler leur opinion personnelle est bien connue en Occident. Mais rechercher activement l'équilibre par le *chōwa* requiert parfois de défier l'autorité et de remettre en question la conception que d'autres peuvent avoir de l'harmonie : « d'enseigner à nos professeurs ».

Retour à l'école – leçons de *chōwa* depuis une salle de classe japonaise

J'ai visité beaucoup d'écoles à travers le Royaume-

Uni (comme professeure de japonais et conférencière en études culturelles) et ai travaillé pour une radio nippone qui s'intéressait à la particularité du système britannique. À mes yeux, ce dernier est admirable en de nombreux points. Pourtant, rien de tel que de franchir la porte d'une école japonaise pour sentir l'inspiration et l'enthousiasme de la connaissance nous envahir. Cet aspect de la vie japonaise me manque.

Quand les gens imaginent une école japonaise, ils ont tendance à s'imaginer des professeurs très stricts. D'accord, il y a une part de vérité là-dedans, mais après avoir visité toutes sortes d'établissements scolaires – aussi bien en Occident qu'au Japon – je peux vous assurer que l'éducation dans l'esprit *chōwa* ne consiste pas à créer des hordes d'étudiants identiques, partageant les mêmes opinions et récitant d'une même voix des leçons apprises par cœur. Au cours de ce chapitre, vous allez découvrir le fonctionnement d'une classe japonaise et partager quelques leçons de *chōwa* afin d'apprendre à orienter votre propre éducation, tout au long de votre vie.

Consacrez-vous entièrement à votre apprentissage – Au Japon, que l'on pénètre dans une maison ou dans une école, on enlève ses chaussures dans l'entrée. En général, les élèves disposent de leur propre casier à chaussures et il y a des chaussons à destination des visiteurs. Changer de chaussures avant de pénétrer plus avant dans l'établissement est une façon discrète et simple de distinguer l'espace d'apprentissage du monde extérieur. La première étape dans la quête de l'équilibre éducatif est de reconnaître que, lorsque nous étudions, nos besoins ne sont pas forcément les mêmes que le reste du temps.

À première vue, la salle de classe japonaise ne devrait pas vous dépayser outre mesure. Vous apercevez un tableau blanc, des rangs de bureaux et de chaises, des panneaux d'affichage destinés aux travaux des élèves et des casiers pour leurs sacs. Pourtant, dès le début du cours, les choses ne se passent pas tout à fait comme vous en avez l'habitude.

On demande aux enfants d'accueillir formellement leur professeur. Quand celui-ci entre dans la salle, il lui arrive de prendre un petit moment pour ranger des papiers ou attendre que les élèves se calment. Puis l'un des membres du groupe, le chef de classe, récite la formule de bienvenue au professeur et déclare d'une voix forte :

Kiritsu – levez-vous
Rei – saluez
Chakuseki – asseyez-vous.

Dans les chapitres précédents, nous avons discuté de l'importance des signes extérieurs d'engagement intérieur – nous assurer que nos paroles soient en accord avec nos actes. Dans un environnement d'apprentissage, ces engagements verbaux créent une sorte d'harmonie très particulière. Il y a quelque chose de puissant à voir les enfants exécuter le même geste au début de chaque cours et se préparer consciemment à apprendre[27].

Prenez le temps d'apprendre – Une fois terminée l'éducation « classique », il s'agit de trouver la motivation de continuer à s'instruire – pas évident si on doit le faire pendant notre temps libre ou après le travail ! Faites en sorte que votre environnement d'apprentissage ne soit pas votre lieu de vie : pourquoi ne pas

---

27 Voir aussi Tobin (1999).

travailler à la bibliothèque ou installer un coin bureau dans votre chambre ? Réservez des plages horaires spéciales, délimitées par une alarme.

Prenez soin de votre environnement d'apprentissage – Dès que vous mettez le pied dans un établissement scolaire nippon, vous remarquez deux choses : le calme et la propreté. En effet, les élèves nettoient l'école pour exprimer leur gratitude envers le service rendu par chaque espace : ils remercient le bâtiment et les salles de classe de leur offrir un lieu où apprendre en toute sécurité.

En plus du nettoyage de leur salle de classe, les élèves sont chargés de celui de la salle des professeurs, des couloirs et même des toilettes et du jardin. La rotation des tâches favorise le sentiment d'appartenance, non seulement à la classe mais aussi à toute l'école.

La responsabilité envers la nature est profondément ancrée dans l'éducation japonaise. J'ai récemment emmené un groupe d'élèves de primaire londoniens visiter une école tokyoïte. À notre arrivée, de nombreux écoliers étaient occupés à désherber et à planter des graines dans le jardin. Un des enfants de mon groupe m'a demandé s'il s'agissait d'une sorte de punition ou de colle. Le directeur, qui nous faisait faire la visite, a secoué la tête. Les élèves s'étaient portés volontaires pour exécuter cette tâche pendant leur pause du midi – ils trouvaient cela amusant et étaient ravis de prendre soin de leur école.

Diversifiez et adaptez les méthodes d'apprentissage – Au cours de ma carrière de formatrice au Japon, j'ai pu constater par moi-même aussi bien les problèmes de *burn-out* adolescent et de décrochage scolaire au lycée que l'importance démesurée accordée (de la part des employeurs comme des personnels éducatifs) aux élèves obtenant les meilleurs résultats. Vue depuis l'Occident, l'éducation japonaise est souvent associée à des niveaux élevés de compétition et de stress, ainsi qu'à des protocoles scolaires exagérément rigides.

Au Royaume-Uni, en revanche, j'ai observé une dangereuse tendance à rejeter en bloc certaines méthodes d'enseignement qui n'ont pourtant pas que des inconvénients. Prenons par exemple le « par cœur », qui semble horrifier aussi bien les élèves britanniques que leurs parents. Certes, passer des heures à mémoriser des leçons au mot près ou le nez collé dans un livre peut sembler un peu trop victorien. Mais en tant que professeur de langue, je dois admettre que, pour apprendre une langue étrangère, la pratique orale doit s'associer à de nombreuses tâches plutôt ennuyeuses, comme retenir des tableaux de verbes, des listes de vocabulaire et des règles grammaticales. Que ça nous plaise ou non, certaines disciplines requièrent du « par cœur ».

D'un autre côté, quand il s'agit de pratiquer un sport, de manipuler des formes algébriques complexes ou de découvrir l'art de la poésie, alors se contenter d'apprendre les règles, les faits ou les mots par cœur est loin d'être la meilleure façon de travailler. C'est ici la pratique qui devient l'apprentissage. Nous devons savoir quand nous laisser guider par notre intuition ou nos instincts. Comprendre et apprécier la « logique » d'un jeu, d'une équation ou d'un roman exige du temps − le temps de s'entraîner, d'apprendre, de lire et de penser en dehors des clous. Dans ce type de démarche, il est également primordial de s'accorder de nombreuses pauses.

En tant qu'adultes, nous sommes parfois réticents à abandonner un livre entamé pour en commencer un autre qui a suscité notre intérêt. Pourtant, un peu de relâchement ne fait pas de mal. On a parfois besoin de réfléchir, de faire un point sur ce qu'on a appris. Laisser notre esprit divaguer peut même s'avérer une excellente source d'inspiration.

La bonne façon d'apprendre n'existe pas. La clé est de garder à l'esprit que différents types d'apprentissage exigent différents types d'enseignement.

La réussite ne dépend pas uniquement de vous – En grandissant, les élèves japonais et leurs parents prennent l'habitude d'aller se recueillir dans des lieux saints avant les examens importants. Visiter un autel constitue un rappel actif et physique de l'importance que nous accordons à notre éducation – un signe extérieur d'engagement intérieur. Se rendre sur l'autel ou acheter un porte-bonheur (en complément de révisions efficaces, cela va sans dire) nous rappelle, à nous et à notre famille, aussi bien nos intentions que nos valeurs.

Lorsque nous avons la chance d'obtenir les résultats espérés, nous retournons adresser nos remerciements à l'autel. Il ne s'agit pas seulement de dire merci au *kami*, mais d'exprimer notre gratitude de façon plus générale : envers nos parents qui nous ont soutenus, envers nos professeurs qui nous ont transmis leur savoir et envers nos amis qui nous ont aidés à étudier (les visites de remerciement s'effectuent souvent en compagnie de camarades de classe). Nous n'avons pas besoin d'être religieux pour exprimer notre reconnaissance. Une éducation imprégnée de *chōwa* met en valeur l'équilibre de l'apprentissage, qui repose autant sur le savoir transmis que sur le professeur. Nous ne pouvons pas réussir tout seuls.

Apprendre une langue (pour découvrir de nouveaux types d'équilibre)

Quand on essaye d'atteindre l'équilibre, de trouver des outils pour apprendre et évoluer, la découverte d'une autre langue apporte parfois des réponses. En effet, chaque pays dispose de son propre sens du *chōwa* – sa conception de l'harmonie – qui éclipse les leçons que nous pourrions apprendre des autres cultures. En matière d'équilibre, une langue étrangère représente, en plus d'une compétence utile au quotidien, la porte d'entrée vers un savoir dont nous ignorions l'existence.

J'ai toujours été fascinée par le monde en dehors du Japon. Quand j'étais petite, les divertissements télévisés américains étaient tout l'inverse des japonais. Face aux héroïnes aussi puissantes que belles de programmes comme *Drôles de dames* ou *Ma sorcière bien-aimée*, je me rêvais citoyenne libre du monde, et m'interrogeais sur ce que la maîtrise d'une langue étrangère pourrait m'apporter.

Laissez-moi vous donner quelques astuces, tirées de mon expérience d'étudiante et de professeure de langue.

Travaillez avec ce que vous savez – Le *chōwa* nous apprend à rassembler la totalité de nos savoirs et expériences pour nous permettre de tirer le meilleur de chaque situation. Il s'agit de vous appuyer sur vos connaissances sans vous inquiéter outre mesure de ce que vous ignorez. Avec une nouvelle langue, chaque nouvelle découverte vous rapproche de l'inconnu. Apprendre à dire quelques mots dans une autre langue pourrait vous mener très loin.

Voici trois phrases simples en japonais :

Mon nom est Akemi – *Watashi wa Akemi desu*
Comment allez-vous ? – *Hajimemashite*
Ravie de faire votre connaissance – *Yoroshiku-onegai-shimasu*

Apprenez à penser différemment – Une langue apporte avec elle de nouveaux outils équilibrants. Quelques mots suffisent à changer notre façon de penser.

Prenons l'exemple de la traduction japonaise de « Ravie de faire votre connaissance ». Il s'agit d'une traduction très grossière, car *Yoroshiku-onegai-shimasu* signifie en réalité quelque chose comme « Merci de vous donner tant de peine pour moi ». Vous pouvez le dire quand vous rencontrez une personne pour la première fois, mais aussi quand vous déposez votre enfant à l'école – dans ce cas-là, le sens sera plus proche de « Désolée que ma fille soit une telle charge ». C'est une façon d'exprimer votre humilité et de remercier les autres de prendre soin de vous.

Le *chōwa* reflète bien la construction de la langue japonaise. Beaucoup de mes étudiants la comparent à un véritable antidote à la pensée anglophone, dont j'avoue céder aux travers plus souvent qu'à mon tour. Je passe mon temps à dire « Je suis si contente que... » ou « J'espère que... ». Tant de moi, moi, moi en anglais, et une telle importance accordée au ressenti de la personne qui parle. C'est très différent en japonais.

En nous adaptant à de nouvelles façons de penser via l'apprentissage d'une autre langue, nous apprenons à remettre en question nos préconceptions de la vie et de la communication avec les autres, et découvrons le sens profond du terme « harmonie ».

Gare aux compliments – S'il vous arrive un jour de visiter le

Japon et d'essayer de parler japonais, vous entendrez peut-être « *nihongo ga jouzu desu ne* », soit « votre japonais est très bon ». Méfiance ! Bien qu'il y ait toutes les chances que les personnes fassent simplement preuve de politesse (et sans la moindre intention de se moquer de vous), il est plus que probable que vous soyez encore très loin du compte. Je conseille donc à mes étudiants de répondre « *mada mada desu* », soit « il me reste un long chemin à parcourir » – ce qui ne manquera pas de provoquer le sourire de votre interlocuteur.

まだ　まだ　です
mada mada desu

Comme pour une nouvelle langue, s'engager dans « la quête de l'équilibre », c'est s'engager à toute une vie d'apprentissage. Et, comme pour une nouvelle langue, il faut toute une vie pour y parvenir.

Apprendre tout au long de la vie : l'apprentissage par la pratique

Avant d'intégrer l'université de Saitama, j'ai étudié l'étiquette occidentale dans un établissement spécialisé. Cela peut sembler étrange pour des lecteurs ayant grandi en Occident et qui considèrent sûrement les cours de protocole et de bonne tenue comme des reliques de l'ancien temps. Or, c'était pour moi un sujet d'intérêt tout naturel. Quand j'étais jeune, la culture occidentale me fascinait. Je voulais découvrir les règles et les codes qui sous-tendent son élégante surface au quotidien.

Croyez-le ou non, mais apprendre à marcher comme une femme occidentale a représenté une véritable étape dans ma quête de l'équilibre. J'ai appris à m'asseoir et à me tenir debout avec un livre sur la tête, droite comme un i. J'ai appris à marcher avec des chaussures et des habits occidentaux. Si le port du kimono oblige à faire de tout petits pas, quand on porte une robe et des talons, les mots d'ordre sont entrain et confiance. Autant vous dire que cette façon de me tenir et de me déplacer me semblait tout sauf naturel.

N'arrêtez jamais d'apprendre – Une fois qu'elles ont fini l'école ou l'université, certaines personnes considèrent leur éducation comme achevée. Ce n'est pas le cas au Japon. Le *chōwa* nous encourage à apprendre à chaque instant, et à envisager l'éducation comme un processus perpétuel, qu'il s'agisse d'assimiler une nouvelle technologie pour le travail ou de se lancer en autodidacte dans une nouvelle discipline, l'apprentissage d'un instrument de musique, d'une langue étrangère, etc.

Une fois à la retraite, les seniors japonais tendent à accéder à des rôles clés dans leur communauté : ils voient la poursuite de leur éducation à la fois comme une façon agréable de passer le temps et comme un devoir. Le Japon dispose d'ailleurs de l'un des meilleurs systèmes de formation des seniors du monde entier[28]. Quand elle a pris sa retraite, ma mère s'est inscrite à des cours d'horticulture à l'université. Elle a toujours aimé travailler dans le jardin et est aujourd'hui en passe de devenir une horticultrice accomplie. Elle s'occupe souvent du jardin de ses voisins gratuitement.

L'éducation continue nous aide à parer à toutes les

---

28 *The Elderly Education in Japan* (*L'éducation des seniors au Japon*), The International Longevity Center, Japan, 7 juin 2010.
Voir http://www.ilcjapan.org/interchangeE/doc/overview_education_1007.pdf (document en anglais).

éventualités. Certains de mes amis au Japon et au Royaume-Uni ont connu le choc de la perte d'emploi, ou simplement atteint l'âge de la retraite sans savoir quoi faire ensuite. L'exemple de ma mère les a beaucoup inspirés. N'oubliez pas : plus vous apprenez, plus vous êtes préparés pour la prochaine étape de votre vie. Votre bagage de connaissance et d'expérience sera toujours là pour vous aider dans les moments les plus désespérés.

Comme le disait ma grand-mère : « On peut te voler tes bijoux, mais pas ton éducation ».

Apprendre à ne pas rentrer dans le moule

À l'école, j'ai toujours apprécié la compagnie des garçons de mon âge, et intégrer l'école de filles de Saitama a été un véritable choc. J'ai trouvé l'expérience très étrange. Un peu comme si, sans garçons aux alentours, les filles avaient développé leurs propres coutumes − relever leur jupe et s'en servir comme éventail pour se rafraîchir mutuellement les jours de grande chaleur ou, comble de la grossièreté à mes yeux, aller aux toilettes en groupe. Une fille m'a un jour demandé de l'accompagner aux toilettes. J'ai refusé. Je lui ai répondu : « Quoi, tu ne peux pas y aller toute seule ? » Du haut de ses quinze ans elle n'avait, de toute évidence, plus besoin d'aide en la matière. Elle est devenue toute rouge et a tourné les talons. J'ai trouvé que je m'étais plutôt bien défendue, mais les autres filles n'étaient pas impressionnées. Il était clair que je n'allais pas jouer à leurs petits jeux. Je n'allais pas rentrer dans le moule.

En y repensant, tellement de choses me semblaient ridicules dans cette école ! Malheureusement, beaucoup de gens ne se débarrassent jamais du besoin de s'intégrer et ce, où qu'ils vivent sur la planète (bien que ce phénomène sévisse peut-être de façon plus visible au Japon qu'en Angleterre). Quand j'emprunte le métro tokyoïte, je constate que toutes les femmes de mon âge portent le même sac Louis Vuitton. Impossible d'y échapper. C'est le prix à payer pour une éducation qui insiste sur l'importance de l'intégration. C'est une chose d'être capable de s'adapter aux règles d'une institution ou de faire de son mieux pour mettre les autres à l'aise, mais c'en est une autre de redouter de laisser transparaître sa personnalité.

À mon avis, cette interprétation du *chōwa* relève d'une grossière mécompréhension du concept même d'équilibre. La quête de l'équilibre passe par la défense de ce qui compte à nos yeux. J'ai mis du temps à le comprendre. À l'école, j'ai fini par trouver des moyens plus productifs de faire les choses à ma façon : au lieu de me moquer des autres filles (qui avaient leurs raisons de vouloir correspondre aux attentes), j'ai intégré les cours de guitare et de mandoline afin de profiter de la compagnie de filles qui me ressemblaient. À la fin du trimestre, un groupe de garçons d'une école de Tokyo venait assister à notre concert, et j'ai donc réussi à me faire des amis en dehors de l'école. Les autres se moquaient de nous, mais le jeu en valait la chandelle.

Enseigner à nos enseignants : défendre notre quête d'harmonie

L'éducation japonaise tend à accorder trop d'importance à l'harmonie du groupe, à ce type de *chōwa* qu'on n'atteint qu'en gardant la tête baissée et la bouche fermée. On entend si souvent « Ne réponds pas » et « Ne discute pas » qu'on finit par abandonner. Apprendre à s'interroger sur ce qui nous entoure devrait pourtant constituer un pan important de l'éducation et du principe même du *chōwa* : à ma connaissance, la seule façon de trouver l'équilibre consiste à ouvrir les yeux sur ce qui se passe autour de soi, à se renseigner correctement et à défier le statu quo.

Voici des pistes pour apprendre à tracer votre voie vers un monde meilleur, avec grâce mais non sans détermination.

Apprendre à argumenter – leçons apprises de mes étudiants – Avec le recul, je peux affirmer que j'ignorais le sens des expressions « esprit de contradiction » et « opinion bien tranchée » avant d'enseigner à des adolescents britanniques. Je travaille toujours aujourd'hui comme professeure de japonais au Royaume-Uni et j'ai la chance d'avoir en face de moi des étudiants aussi optimistes, passionnés et malins qu'uniques et dotés de leur propre opinion. J'adore ça ! Ils m'ont aidée à comprendre et à apprécier la valeur de l'expression publique des opinions (et de son penchant indissociable, la possibilité de voir nos propos corrigés et disséqués par autrui).

Apprendre à argumenter – leçons philosophiques – J'éprouve un grand respect pour la méthode de Socrate – persistance, interrogation curieuse, poursuite sans relâche de la vérité à force de questions et encore de questions. Ce n'est pas le « pourquoi, pourquoi, pourquoi ? » d'un enfant – une bonne question doit être motivée par un intérêt sincère, non par une simple envie de provoquer une réaction. Il se pourrait que Socrate ait dit que cela nous rapproche de la vérité. Je pense qu'on peut aussi utiliser ce chemin pour se rapprocher de l'équilibre.

La méthode de Socrate servait aussi à démasquer les personnes qui pensaient tout savoir. Si quelqu'un déclarait : « Je pense que c'est la vérité », Socrate lui rétorquait : « Mais qu'en est-il de cela ? ». Ce qui permettait au déclarant, à l'interrogeant et à toutes les autres personnes présentes de réévaluer la question, tout en favorisant une atmosphère de bienveillance et d'humilité.

N'arrêtez jamais de poser des questions. Lorsqu'on pose des questions dans le bon état d'esprit et qu'on pousse nos professeurs à répondre à des questions difficiles, l'apprentissage est bénéfique aussi bien à l'élève qu'au professeur, qui ne manque pas de découvrir une chose ou deux au passage.

Apprendre les règles en les transgressant

Lorsque j'étais une femme divorcée au Japon, j'ai vite réalisé que chaque étape de ma vie future constituerait une transgression. J'ai donc dû trouver des moyens de m'en accommoder tout en conservant mon sens de la dignité et, bien sûr, en gérant ma carrière de professeure.

Quand je me suis mariée pour la seconde fois, le divorce restait un sujet tabou. Et comble du scandale, j'épousais le professeur d'anglais devenu mon associé dans l'école que j'avais créée : un étranger. À la mairie, les employés ont d'abord refusé de nous marier – ils n'avaient auparavant jamais uni une Japonaise à un étranger. Nous avons dû joindre l'ambassade britannique par téléphone pour qu'ils consentent à nous délivrer le certificat de mariage. J'aurais dû me douter alors que rester au Japon se révélerait difficile, pour lui comme pour moi. L'enchaînement des revers nous a poussés à partir pour l'Angleterre et à y commencer une nouvelle vie.

Mon expérience de « transgression » au Japon m'a appris énormément sur mon pays. La leçon la plus importante que j'en ai tirée est qu'apprendre à remettre en question et à chercher des réponses à travers notre vie constitue le seul moyen d'espérer un jour trouver notre équilibre.

LEÇON DE *CHŌWA* :
APPRENDRE À APPRENDRE

Tout est recherche d'équilibre

• Actuellement, essayez-vous d'apprendre une nouvelle compétence ou de vous améliorer dans un domaine ?

• Quels sont vos objectifs en matière d'apprentissage ?

• Comment procédez-vous pour apprendre cette nouvelle compétence ? Cette méthode vous aide-t-elle à atteindre votre objectif ?

• Pensez-vous qu'essayer différentes méthodes d'apprentissage – de courtes périodes de bachotage intensif ou des périodes de réflexion plus longues – vous permettrait d'atteindre plus facilement vos objectifs ?

Enseigner à vos professeurs

Voici un peu d'inspiration pour poser de meilleures questions à vos professeurs :

• Les questions fermées (celles qui attendent une réponse par « oui » ou « non ») ne sont généralement pas les plus utiles, car elles n'ouvrent pas de discussion.

• Posez toujours des questions avec bonne foi. Poser des questions dont vous connaissez déjà la réponse peut donner l'impression que vous cherchez la confrontation.

• Si vous avez besoin de clarifier un point, au lieu de poser une question ouverte, posez plutôt une question précise (« Pourriez-vous expliquer comment... ? »).

• Évitez les plaintes ou les reproches (« pourquoi, pourquoi, pourquoi ») déguisés en question. Si vous pensez qu'un changement s'impose, soyez aussi précis que possible,

faites vos recherches, voire proposez une alternative
(«Et si on essayait...?»).

• Préparez-vous aux réponses inattendues. Un moine demanda
un jour à son disciple de nettoyer le jardin. Le disciple saisit
son râteau et débarrassa le jardin de toutes les feuilles.
Au retour du moine, le disciple remarqua que celui-ci semblait
mécontent.

«Le jardin n'est-il pas assez propre?» demanda-t-il.
Le moine secoua un arbre proche et quelques feuilles tombèrent
au sol. «Maintenant c'est parfait».

Un mantra pour apprendre, pour enseigner et pour la vie
• *Mada mada desu* – Il me reste un long chemin à parcourir.

7

TROUVER L'ÉQUILIBRE PROFESSIONNEL

« Cultivez le bon état d'esprit. »

Instruction pour les étudiants en arts martiaux

Notre façon de travailler évolue très vite. Nous sommes plus connectés, nous traitons dans plusieurs langues, avec plusieurs cultures, voire plusieurs continents. Parmi mes étudiants, il existe une véritable soif de *chōwa* et, dans un contexte professionnel, d'apprendre à initier des partenariats transculturels harmonieux (les cours de culture professionnelle japonaise que je donne à Londres n'ont jamais compté autant d'inscrits). Mais de nouvelles failles apparaissent également, juste devant nos yeux. Partout sur la planète, on reproche aux entreprises leur avidité, leur manque de cœur et de valeurs. Nous découvrons – souvent trop tard – les effets dévastateurs du stress, de l'intimidation, des discriminations et du harcèlement sexuel sur le lieu de travail. De leur côté, les travailleurs indépendants (de plus en plus nombreux) n'échappent pas à ces travers et deviennent souvent leur pire ennemi, en particulier lorsqu'il s'agit de maintenir un équilibre entre vie privée et vie professionnelle. Certes, reconnaître l'existence de ces problèmes représente une étape importante et nécessaire, mais elle n'est toutefois pas suffisante pour remettre de l'équilibre dans notre univers professionnel.

Il est temps de repenser notre façon de travailler grâce au *chōwa*. En abordant la question avec le bon état d'esprit, il est en effet possible d'insuffler bienveillance et vivacité à nos vies professionnelles. Nous pouvons également appliquer les leçons vues dans les chapitres précédents – notamment l'écoute active. Elles nous permettront de mieux nous entendre avec nos collègues et nos clients, de mieux équilibrer notre vie privée et notre vie professionnelle, de formuler nos désaccords de façon constructive et de remettre en question l'harmonie de notre lieu de travail lorsqu'elle ne nous convient pas. Ce chapitre inclut les leçons suivantes :

• **Parer à toute éventualité.** Je vous encourage à aborder le travail dans le bon état d'esprit, à vous rappeler les « signes extérieurs d'engagement intérieur ». Exprimer votre engagement envers votre travail peut avoir un effet transformateur sur votre univers professionnel.

• **Garder en tête notre humanité.** Réfléchir à notre travail dans une perspective équilibrante permet souvent d'en appréhender le fonctionnement plus clairement. Nous finissons alors par comprendre que les entreprises, comme n'importe quel groupe de personnes, relèvent toujours d'une harmonie plus ou moins précaire. Toutefois, l'harmonie sur notre lieu de travail ne prévaudra jamais sur la dénonciation des maltraitances ou d'une surcharge de travail. Il est temps de rappeler aux dirigeants d'entreprise que certains d'entre nous subissent des environnements professionnels toxiques depuis bien trop longtemps.

Devenir une meilleure personne

Il y a quelques années, j'ai été conviée à assister au festival mondial des arts martiaux, à Kyoto. J'ai eu la chance d'avoir un siège à la table d'honneur. J'étais donc entourée des plus grands artistes d'arts martiaux du Japon et des titans de l'industrie japonaise. Impossible de les distinguer : il s'agit souvent des mêmes personnes.

Au sein d'une si impeccable compagnie, je n'ai eu d'autre choix que de me tenir à la perfection. J'ai dû faire un effort conscient pour être à la hauteur de leur exemple. Même leur façon de manger témoignait de leur talent et de leur confiance. C'était un peu comme regarder des danseurs. Et en même temps, ils étaient tous amicaux et très détendus.

L'homme assis à ma gauche s'est présenté comme judoka. Il s'est aussi avéré être le PDG d'une grosse entreprise de software. Je lui ai demandé ce qui l'avait amené aux arts martiaux. Comment arrivait-il à faire son travail tout en pratiquant un hobby aussi chronophage et exigeant physiquement ? Avec un haussement d'épaules et un sourire, il m'a répondu en toute simplicité : « Je voulais devenir une meilleure personne ». Il m'a ensuite expliqué qu'il venait de perdre un match de judo contre un jeune espoir olympique. Nous avons discuté de discipline olympique et il m'a avoué être mitigé à ce sujet. Il ne voyait vraiment pas le judo comme un sport, mais comme un art. Les médailles d'or, d'argent et de bronze n'avaient rien à y faire à ses yeux. Avant un match, il est d'usage de s'incliner devant l'autel du dojo. Si les professeurs sont présents, les combattants les saluent également. Par cette salutation, ils expriment leur sens du respect et de la sérénité, ainsi que leur compréhension des enjeux du combat, soit une question de vie ou de mort.

Bien sûr, le commerce se nourrit de la compétition, mais nous ne pouvons pas nous permettre d'oublier l'importance de notre comportement, de nos valeurs et de notre personnalité dans notre attitude professionnelle. Une entreprise (ou un employé) connue pour sa sincérité, sa sympathie et sa force intérieure parviendra à gérer les petites erreurs et pertes avec grâce. Respect des adversaires. Préparation avant le combat. Grâce dans la défaite. Comme dans les arts martiaux, ces valeurs nous permettent d'affronter même les issues les plus décevantes. Mais quand on cherche en permanence à gagner, on court le risque de prendre des décisions insuffisamment réfléchies ou de ne pas traiter nos collègues avec le respect qu'ils méritent. Et surtout, de perdre ces principes de vue.

Peut-être qu'à l'image du judo, le business est plus un art qu'un sport.

Kokoro-gamae : le bon état d'esprit

Le *chō* de *chōwa* peut se lire comme « recherche » et « étude », mais aussi comme « préparation ». Le mot japonais que je souhaite maintenant vous présenter entretient des liens étroits avec cette lecture du *chō* et a beaucoup à nous enseigner sur la sorte de « préparation » que requiert notre quête d'équilibre professionnel. Bien que ce mot soit généralement associé à la pratique des arts martiaux, il s'applique tout aussi bien à l'attitude positive en vigueur dans le monde de l'entreprise et du business :

心　構え

kokoro-gamae

Kokoro signifie littéralement « cœur » mais peut aussi avoir le sens de « esprit ».

Gamae signifie « posture » ou « état ». Sous sa forme verbale, il signifie « se préparer ».

L'association de ces deux caractères forme l'expression « préparation de l'esprit ». Dans les arts martiaux, *kokoro-gamae* – la préparation de l'esprit – est étroitement lié à *mi-gamae* – préparation du corps (soit notre état physique, notre préparation pour une bataille). Au Japon, cette préparation à la sauce martiale s'applique aussi au monde des affaires. Je pense que la plupart d'entre vous conviendront que, à voir une personne mettre négligemment ses pieds sur son bureau avec l'air blasé, ses collègues et clients risquent de déduire qu'elle n'est pas la plus adaptée pour ce poste.

Je ne peux pas décrire ce que la « préparation » signifie pour chaque travail – elle sera très différente selon que l'on soit professeur, commercial, architecte ou travailleur social. Mais je tiens quand même à expliquer comment intégrer notre vie professionnelle à notre démarche de recherche d'équilibre peut apporter calme et bienveillance, énergie et enthousiasme, en particulier lorsqu'il s'agit de faire affaire avec autrui et de construire des relations harmonieuses avec les clients[29].

Montrez la valeur que vous accordez aux choses – Certains Occidentaux trouvent très rigide la façon dont les Japonais tendent les bras, présentent leur carte de visite avec les deux

---

29 Pour en savoir plus sur l'application professionnelle du *chōwa*, je vous conseille cet article d'Hideki Omiya, président de Mitsubishi Heavy Industries (2018), « *An ancient Japanese idea can teach 21st century businesses about harmonious partnerships* » (« Comment un ancien principe japonais peut apprendre aux entreprises du xxie siècle à créer des partenariats harmonieux » – article non traduit), *Quartz* magazine.
https://qz.com/1186023/chōwa-an-ancient-japaneseidea-can-teach-21st-century-businesses-about-harmoniouspartnerships/

mains et s'inclinent. Mais ce qui leur semble si maniéré revêt un intérêt et un sens réels.

Le traitement accordé par une personne à sa carte de visite est considéré comme une illustration de sa préparation, de son état d'esprit. Présenter notre carte de visite avec fierté, c'est affirmer avec fierté notre rôle dans l'entreprise. La qualité et l'état de la carte de visite (qui n'a pas été malmenée dans le fond d'une poche mais conservée dans un étui dédié) montrent aux autres la façon dont vous menez vos affaires et dont vous êtes susceptible de vous comporter.

Quand vous recevez une carte de visite, on attend de vous que vous preniez quelques secondes pour l'examiner avec soin, en la tenant par les tranches afin de ne masquer aucune information. Une fois encore, ce n'est pas qu'une simple formalité mais l'expression de la valeur que vous accordez à la personne et à son entreprise.

N'ayez pas peur du silence – Si au Japon, le silence s'invite volontiers dans les réunions, il met en revanche certains de mes élèves britanniques dans tous leurs états. Ont-ils dit quelque chose d'horrible ? D'offensant ? La réponse est généralement non. Leurs homologues japonais se contentent le plus souvent d'être polis et de leur laisser la chance de poursuivre s'ils en ressentent l'envie.

D'après les Japonais, le silence est l'huile qui fait tourner le monde sans accroc. On s'attend à des moments de silence au cours des réunions professionnelles, car on s'attend à ce que tous les participants pratiquent l'écoute active et la lecture de l'ambiance. En prêtant attention à l'atmosphère, nous pouvons en apprendre beaucoup sur les autres personnes qui la composent. C'est vrai pour les relations personnelles aussi bien que professionnelles.

Il y a de nombreux avantages aux réunions en mode *chōwa* où tout un chacun s'applique à lire l'ambiance et où le calme est un outil d'équilibre parmi tant d'autres. Et bien que l'apport de silence dans une réunion soit un engagement personnel, vous constaterez vite qu'en la matière, les efforts sont extrêmement contagieux.

Soyez patient – Comme toute personne ayant déjà travaillé avec des Japonais le sait, il faut prendre le temps de faire connaissance. La première rencontre avec un client nippon risque en effet de rester très formelle. La deuxième et la troisième aussi. Mais si cette période d'acclimatation débouche sur un partenariat, vous constaterez que les Japonais comptent parmi les collaborateurs les plus loyaux du monde et sont susceptibles de devenir bien plus que des clients, des amis pour la vie. Je pense que cela s'applique à tout client ou collègue que l'on prend vraiment le temps de connaître.

Il arrive si souvent, dans la vie professionnelle – en particulier quand on tente de vendre son entreprise, les services de son entreprise ou soi-même –, que l'on oublie la simple vertu de la patience. On s'éreinte à force de vouloir se dénicher des points communs. Or, une approche trop insistante (« Aimez-moi, aimez-moi ! ») risque de vous faire passer pour désespéré.

La plupart des gens avec qui l'on travaille, au Japon et partout ailleurs dans le monde, ne partent pas du principe qu'ils vont vous aimer ou vous détester. Ils cherchent plutôt à connaître vos qualités, votre personnalité et votre comportement dans les affaires. Et cela exige du temps.

Le *chōwa* sur le lieu de travail – trouver l'équilibre professionnel

Trouver l'équilibre au travail n'est jamais une mince affaire. Les attentes, les délais et les différentes tâches constituent souvent autant d'obstacles à la bonne entente avec nos collègues et nos clients et il peut s'avérer compliqué de gérer le temps passé au travail, de déléguer des tâches ou de rentrer à la maison à temps pour conserver une vie privée.

Le *chōwa* du lieu de travail consiste à prêter attention aux autres personnes autant qu'à nous-mêmes. Cela nous demande de savoir argumenter et défendre notre cause avec justesse mais aussi avec le courage de nos convictions.

S'échauffer avant de commencer la journée – Qu'ils soient agents d'entretien, facteurs ou employés d'une grande entreprise, beaucoup de Japonais commencent leur journée par une petite séance d'exercices callisthéniques[30] diffusés par la radio publique nationale, la NHK. C'est un sacré spectacle que d'observer ces groupes d'employés à l'air si sérieux se mouvoir à l'unisson. Cette séance quotidienne s'appelle *rajio taisō*.

Ces légers exercices font circuler le sang et offrent à tous, du PDG au petit nouveau, l'occasion de s'échauffer ensemble pour la journée qui commence[31]. Bien sûr, s'échauffer de son côté reste une bonne façon de se préparer pour la journée, mais la pratique entre collègues permet le rappel efficace de certains faits évidents : nous sommes tous les mêmes et la réussite générale repose sur les efforts de chacun d'entre nous.

---

30 Ndt : ensemble d'exercices de gymnastique destinés au développement harmonieux du corps.
31 Pour de plus amples informations sur le programme de la NHK, voir https://www3.nhk.or.jp/nhkworld/en/tv/japanologyplus/program-20180904.html

Si vous prévoyez d'instaurer une séance collective d'exercices (même s'il ne s'agit que de légers étirements) avec vos collègues, je vous recommande de commencer par plusieurs sessions courtes. Assurez-vous de prendre en compte les préférences, limites, envies et capacités de chacun.

Être présent pour les personnes avec lesquelles vous travaillez : la relation *sempai/kōhai* – Voir tant de gens oublier toute empathie une fois au travail m'attriste au plus haut point : la quête active de l'équilibre ne s'arrête pas à la porte de chez soi ! Qu'il s'agisse de nos clients ou de nos collègues (ou, dans le contexte plus académique de mon travail, d'élèves ou de professeurs), il y a beaucoup à gagner à nouer de vraies relations avec les personnes avec lesquelles nous travaillons.

Au Japon, les relations intergénérationnelles sont assez formelles – tout du moins par rapport à celles qui ont cours dans les pays occidentaux. Nous appelons les personnes qui viennent juste de commencer dans l'entreprise les *kōhai* (juniors) et nos supérieurs les *sempai* (seniors). À mon avis, le fait de qualifier clairement ces rapports hiérarchiques présente l'avantage d'insister sur un point très *chōwa* : dans une relation d'enseignement, le respect n'est pas inné ; l'équilibre se construit. Certes, on peut légèrement se moquer d'un *kōhai* et on s'adressera toujours avec respect à un *sempai*, mais il s'agit d'une relation active de tutorat et d'apprentissage. Le *kōhai* fait de son mieux pour apprendre le plus possible et accorder toute son attention à son *sempai*. Le *sempai* fait de son mieux pour s'assurer que son *kōhai* apprend rapidement afin de pouvoir, une fois le moment venu, devenir mentor lui aussi.

Il est fréquent que le *sempai* invite son *kōhai* à dîner. Ce n'est pas juste une façon de relâcher la pression après une longue journée de travail, c'est la continuité des leçons du jour. Pendant ce moment partagé, *sempai* et *kōhai* discutent de toutes sortes de sujets : l'amour, la vie, la politique, les problèmes au travail ou encore leurs ambitions pour l'avenir.

Un bon responsable comprend que « laisser les problèmes privés à la maison » ou « laisser le travail au travail » n'est pas possible. Au contraire, il est très fréquent que les aspects professionnels perturbent la vie de famille, tout comme il est fréquent que les crises ou responsabilités familiales empiètent sur le professionnel. En se montrant présent pour les personnes avec lesquelles on travaille, en particulier quand elles traversent des périodes difficiles, on met en pratique une des principales leçons de *chōwa* : réagir aussi généreusement que possible en toute situation.

• Comment devenir un meilleur mentor pour vos collègues ?

• Comment devenir un meilleur élève quand vous devez apprendre de vos collègues ?

Trouver un équilibre entre le travail et le temps libre – Si vous me ressemblez un tant soit peu, vous rechignez probablement à vous octroyer du temps libre. Se détacher de ce qui nous apparaît comme très important peut représenter une vraie difficulté.

Ce que vous faites de votre temps libre dépend de votre personnalité et de vos goûts. Le principal est de garder à l'esprit qu'il a autant de valeur que votre temps de travail.

Comme je l'ai évoqué dans le premier chapitre, il s'agit d'envisager la détente comme une forme de préparation, une étape du *kokoro-gamae* qui nous permettra d'affronter le jour suivant, et celui d'après.

Estimez votre temps libre à sa juste valeur – J'essaye toujours de profiter de chaque minute pour apprendre, agir, rester active. Richard, mon époux, trouve ce besoin constant de stimulation et de travail absolument épuisant. Nous sommes donc parvenus à un compromis. Quand nous avons du temps libre à deux, nous prévoyons de faire ou de voir quelque chose – aller nous balader, ou visiter un musée qui nous intéresse.

Quand je voyais le temps libre comme de l'oisiveté, j'avais beaucoup de mal à en prendre. En réalité, déconnecter n'est pas une obligation. Pour ceux d'entre vous qui me ressemblent sur ce point, sachez que vous pouvez planifier votre temps libre ! Prévoir de lire un livre ou de cuisiner en famille vous aidera à prendre conscience de la valeur du temps que vous ne passez pas à travailler.

#WeToo – lutter contre la violence sexuelle et les discriminations sexuelles au Japon

Le mouvement #MeToo a eu du mal à prendre au Japon. Il est encore beaucoup trop difficile pour les Japonaises de dénoncer publiquement des agressions sans que leur parole se retourne contre elles. Je pense notamment à ces jeunes femmes dans l'industrie du divertissement qui ont été victimes de viol et ont dû s'excuser d'en avoir parlé et d'avoir porté plainte[32]. Des amies à moi ont tenté de traîner leurs assaillants en justice – ce sont *elles* qui se sont vu menacer de procès. Les Japonaises savent très bien que parler ouvertement de la violence sexuelle, surtout celle qui sévit dans l'univers professionnel, met en péril leur

---

32 https://parismatch.be/actualites/societe/226934/au-japon-une-pop-star-sexcuse-davoir-cause-des-ennuis-apres-avoir-parle-de-son-agression

carrière mais aussi celle des membres de leur famille. On le leur a répété, encore et encore.

Dans une tentative de défier les préjugés de la société nippone contre les « victimes », les organisatrices du mouvement #WeToo ont souhaité recadrer le débat. Insister sur l'existence de moyens à la portée de tous pour contribuer à appliquer une tolérance zéro en matière de violence et de harcèlement envers les femmes dans le monde professionnel. Le mouvement #WeToo défie la culture du silence. Il mise sur l'influence des acteurs du droit et le soutien des dirigeants économiques engagés et déterminés à changer le système. Il met l'accent sur la transformation du discours public relatif à la violence sexuelle et au harcèlement, pour que les récits des femmes soient enfin entendus[33].

Parler quand la situation l'exige

Au Japon, un célèbre dicton énonce : *kusai mono ni, futa wo suru.*

« Si ça sent mauvais, mets un couvercle dessus. »

C'est l'un des proverbes les moins « sages » que le Japon ait à offrir. Si les gens ne prennent pas la parole, rien ne changera jamais. Malheureusement, ce message est profondément ancré dans les esprits, surtout chez les personnes âgées. La pression liée à l'obligation de « garder la face », de préserver l'intégrité d'une entreprise ou la réputation d'un supérieur, pousse souvent les gens à se donner beaucoup de peine pour préserver le statu quo.

---

33 Voir le site #WeToo Japon pour plus d'informations (en japonais uniquement) : https://we-too.jp/.

Cette crainte de s'exprimer n'est pas spécifique à mon pays. La peur et le danger sont réels. Ne pas choisir le moment avec soin, c'est risquer de s'attirer des ennuis, quelles que soient la légitimité de la plainte ou la justesse de la cause. En même temps, face à l'injustice, à une situation de harcèlement sur le lieu de travail ou d'inégalité flagrante (ou à une manière de fonctionner insatisfaisante), le malaise ne peut plus être étouffé. Notre voix doit être entendue. Voici donc quelques pistes pour trouver le bon moment et la bonne façon de se faire entendre.

Informez-vous – Le *chōwa* consiste à avoir toutes les données de l'équation en main avant d'agir dans une situation. Quand nous visons l'équilibre sur notre lieu de travail, cette recherche implique que nous connaissions le positionnement de notre entreprise sur les questions qui nous importent. Si vous décidez de vous attaquer à des pratiques internes, voyez pourquoi votre société fonctionne de telle ou telle manière et si d'autres options ont déjà été envisagées. Renseignez-vous auprès d'un membre plus ancien de votre équipe (en qui vous avez confiance) et rassemblez autant d'informations que possible avant d'agir ou de parler. Il se peut qu'il n'y ait que vous qui ayez le courage de poser certaines questions et qu'en dépit d'un ressenti semblable au vôtre, personne, pour une raison ou une autre, n'ait réussi à prendre la parole ou à changer les choses. C'est le cas de beaucoup de mes amies et de femmes avec lesquelles je travaille au Japon, pour tout ce qui touche au harcèlement professionnel et sexuel et aux discriminations sexistes. Je vous recommande de rencontrer, discuter et partager votre expérience avec d'autres personnes confrontées aux mêmes problèmes que vous.

Pour les lecteurs et lectrices en quête d'un endroit où lire ou poster des histoires de sexisme ordinaire, je conseille d'aller jeter un coup d'œil aux nombreux sites et comptes Twitter sur le sujet[34]. Certains des récits publiés vous paraîtront malheureusement bien trop familiers, et d'autres risquent de vous bouleverser. Mais dans un monde où nous avons trop souvent l'impression de ne pas pouvoir partager de telles histoires, constater que nous ne sommes pas seules met un peu de baume au cœur.

Pour les lecteurs et lectrices du Japon, ou les personnes souhaitant en apprendre davantage sur la discrimination, le sexisme et la violence sexuelle, je vous recommande le travail de la journaliste Shiori Ito, en particulier son documentaire intitulé *Japan's Secret Shame* (2018)[35].

Trouver des terrains d'entente avec nos collègues de travail permet de s'attaquer aux injustices ou aux mauvaises pratiques professionnelles de façon constructive, afin que l'harmonie du lieu de travail devienne enfin une réalité pour tout le monde. Quand vous suggérez un changement, une nouvelle orientation ou une nouvelle manière de faire – ou quand vous formulez une plainte justifiée –, plus vous aurez considéré les autres en amont, plus votre suggestion sera puissante. Un « nous » peut être beaucoup plus puissant qu'un « je ».

Posez des questions – Une question n'est pas une plainte. C'est une façon vieille comme le monde d'exprimer un désaccord. Au lieu de dire « Je ne pense pas qu'on devrait faire ainsi », demandez plutôt « Pourquoi faisons-nous ainsi ? » ou

---

34 Paye ta Shnek, Pépites sexistes, Chair collaboratrice, Paye ta robe…
35 Un groupe a été créé pour aider Shiori Ito et toutes les personnes rencontrant des situations similaires : https://www.opentheblackbox.jp

« Avons-nous envisagé d'autres façons de faire ceci ? ». Bien sûr, certains employeurs s'efforceront de balayer de telles questions. En règle générale, on en apprend plus sur nos supérieurs (et on a donc davantage à transmettre à nos collègues) en posant des questions dans un premier temps en privé puis, en l'absence de réponses satisfaisantes, un peu plus ouvertement.

Dites la vérité – Du stress professionnel aux discriminations sexistes, les sujets que les entreprises rechignent à aborder ne manquent pas. Face à ces « distractions malvenues », les dirigeants et managers japonais tendent à favoriser « l'harmonie professionnelle », une interprétation tordue du *chōwa* qui veut que les employés poursuivent leur travail comme si de rien n'était en dépit des insatisfactions individuelles.

Bien que des situations similaires existent dans des entreprises du monde entier, certains problèmes sont particulièrement prononcés au Japon. À l'heure de pointe, les hommes d'affaires ne se gênent pas pour lire de la pornographie dans le métro. Dans ces mêmes trains et métros, on ne compte plus le nombre de femmes et de filles victimes d'attouchements pendant leur trajet vers le travail[36]. Jusqu'à très récemment, les notes de l'examen d'entrée dans l'une des écoles de médecine de Tokyo étaient trafiquées pour garantir un nombre plus élevé de médecins masculins[37].

Au Japon, la culture d'entreprise est souvent telle que les

---

36 Voir Brasor, Philip (2018), *Japan struggles to overcome its groping problem* (Le Japon peine à endiguer le problème des frotteurs), dans le *Japan Times.* https://www.japantimes.co.jp/news/2018/03/17/national/media-national/japanstruggles-overcome-groping-problem/
Parmi les solutions proposées : http://www.slate.fr/story/177591/japon-application-frotteurs-metro-harcelement-sexuel-alerte
37 https://www.lemonde.fr/asie-pacifique/article/2018/08/04/l-universite-de-medecine-de-tokyo-limite-l-acces-des-femmes_5339399_3216.html

agressions sexuelles ne sont pas signalées ou sont passées sous silence dans l'intérêt de l'harmonie générale : on estime qu'au niveau national, 95 % des agressions sexuelles ne font pas l'objet d'un signalement[38].

Si je vous dis tout cela, c'est parce que la préservation de cette prétendue « harmonie professionnelle » et du statu quo permet à ces abus de perdurer. C'est une grossière mécompréhension du *chōwa* – une harmonie qui ne concerne qu'une petite minorité. Plus les gens parleront franchement, plus nous serons susceptibles de trouver un véritable équilibre sur notre lieu de travail.

Ni le moment, ni l'endroit – Après la séparation d'avec mon premier mari, j'ai passé plusieurs mois difficiles, à réfléchir à ce que j'allais bien pouvoir faire. Pour finir, la réponse se trouvait juste devant mes yeux. J'avais toujours aimé apprendre l'anglais. J'étais fascinée par la culture britannique – l'étiquette, le système de classes, l'histoire de sa démocratie, les suffragettes et, bien évidemment, le cinéma (mon film préféré était *My Fair Lady*). J'ai donc décidé de fonder une école de langue à Saitama pour y enseigner l'anglais britannique (plutôt qu'américain).

Cependant, j'avais beau être la directrice de l'école, les hommes que je rencontrais dans le cadre professionnel ne se gênaient pas pour me demander ouvertement ce que je faisais là, moi la jeune femme. Certains me riaient au nez. D'autres baissaient le regard, gênés. Une jeune femme n'était pas supposée diriger sa propre entreprise. À leurs yeux, j'aurais dû porter de magnifiques vêtements et servir mon époux,

---

38 Source : https://www.aljazeera.com/indepth/opinion/japansecret-shame180726113617684.html

certainement pas discuter affaires.

Vous avez peut-être remarqué qu'Hello Kitty (célèbre personnage de petite chatte, incarnation de la mignonnerie) n'a pas de bouche. Ce n'est pas une coïncidence. De l'école au marché du travail, il a toujours été très clair qu'à l'image de Hello Kitty, on attendait de moi que je sois mignonne – et silencieuse. La situation s'est améliorée quand j'ai emménagé au Royaume-Uni, mais ces problèmes persistent également au sein de la société britannique.

Quand je dirigeais l'école de Saitama, je devais assister chaque mois à la réunion des entreprises locales. Nous étions deux femmes parmi une vingtaine d'hommes. L'autre femme dirigeait le club d'hôtesses. À la fin de la réunion, elle nous invitait toujours à nous rendre dans son club, et j'acceptais toujours cette invitation, malgré les signaux évidents montrant que je n'étais pas la bienvenue. Je prenais place parmi ce groupe de chefs d'entreprises, pour la plupart des hommes âgés de soixante ans ou plus, pendant que de jeunes Philippines ou Thaïlandaises s'agenouillaient devant eux, leur versaient à boire et les appelaient *sensei* ou maître.

Le moment et l'endroit pour ce type de « divertissement » n'étaient certainement pas ceux d'un groupe mixte de chefs d'entreprise. Loin de me sentir respectée ou valorisée, j'étais humiliée.

J'aimerais dire que mes expériences m'ont rendue plus forte, que j'ai beaucoup appris de mon expérience de femme cheffe d'entreprise au Japon. C'est vrai, dans une certaine mesure. Cependant, mon sentiment plus général est celui d'avoir été rabaissée, encore et encore. Pouvoir en parler aujourd'hui est peut-être le signe que les choses ont commencé à évoluer, lentement mais sûrement.

LEÇON DE *CHŌWA* :
ÉQUILIBREZ VOTRE
VIE PROFESSIONNELLE

Plus de *chōwa* dans les réunions

• Décidez à l'avance des problèmes à aborder, déterminez les questions qui méritent d'être discutées en groupe et celles qui seront plus facilement résolues par courriel ou en entretien individuel.

• Pendant la réunion, accordez toute votre attention à la personne qui parle. Répondez aux questions directes quand on vous demande votre avis.

• Quand plus personne n'a rien à ajouter, résistez à la tentation de prendre la parole. À la place, profitez du silence pour rassembler vos idées et vous préparer au prochain point à l'ordre du jour.

Nouer des relations harmonieuses avec vos clients et vos collègues

• Essayez de ne pas envisager la rencontre et la découverte des gens comme une bataille. L'insistance – ou l'excès de motivation – n'aboutit qu'à l'instauration de relations superficielles (en particulier dans une situation de vente) et ne permet pas de faire vraiment connaissance avec votre interlocuteur. À brûler les étapes, vous risquez même de devenir franchement enquiquinant.

• Collègue ou client, Japonais ou non, prenez donc le temps de faire vraiment connaissance. C'est le meilleur moyen de gagner de nouvelles relations professionnelles, de nouveaux amis et de nouer des relations harmonieuses avec les autres.

#WeToo

• Il vous suffit de taper #WeToo sur Twitter pour constater l'ampleur du débat. #WeToo vise à faire évoluer les mentalités dans l'univers professionnel et la réponse aux situations de harcèlement sexuel, de discrimination sexiste et d'agression sexuelle – au travail et dans la société en général. Du Japon à la Corée du Sud en passant par l'Australie et l'Inde et même ici, au Royaume-Uni, #WeToo ambitionne tout simplement d'améliorer la vie des femmes partout sur la planète[39].

39 La Première ministre de Nouvelle-Zélande, Jacinda Ardern, affirme son soutien à #WeToo. Voir « MeToo must become WeToo », the *Guardian*, 28 novembre 2018. https://www.theguardian.com/politics/2018/sep/28/we-are-not-isolated-jacinda-ardernsmaiden-speech-to-the-un-rebuts-trump.

8

ACCOMPLIR DES CHANGEMENTS À PLUS GRANDE ÉCHELLE

« S[i mon cœur] n'avait pas, dans les heures de paix, appris à regarder la vie avec légèreté. »[40]

Ōta Dōkan (1432–1486)

Le *chōwa* nous incite à réfléchir aux moyens de mettre les autres personnes à l'aise, de nous laisser porter et d'amener plus de réalisme et de souplesse dans nos vies. Mais l'harmonie ne s'invite pas d'elle-même, et la recherche d'équilibre ne se limite pas à l'acceptation pure et simple de ce qui nous entoure. Certaines personnes sont ravies d'accepter l'injustice comme une caractéristique naturelle du monde. L'état du monde tel qu'il est, l'harmonie qui y règne, leur conviennent. Mais lorsqu'on subit soi-même les discriminations, ou qu'on perçoit la souffrance des gens laissés de côté par le monde et son fonctionnement actuel, on reconnaît immédiatement l'injustice pour ce qu'elle est : un déséquilibre qui peut, et doit, être corrigé.

Une étape importante du changement positif – sur notre lieu de travail, dans nos familles et nos communautés – consiste à

---

40 Derniers mots du poète-guerrier Ōta Dōkan (extraits de *Bushidō* : l'âme du Japon, d'Inazo Nitobe, p. 66. Traduction française de Charles Jacob).

porter attention au ressenti des autres et à apprendre à partager leurs peines et leurs joies. Nous connaissons le soulagement d'exprimer notre souffrance, notre angoisse ou notre malaise, et de partager nos émotions à propos d'une situation stressante que nous avons traversée. Écouter *vraiment* les autres, c'est leur donner l'espace nécessaire pour qu'elles puissent se décharger. Certains d'entre nous ressentent le besoin d'aller encore plus loin. De revenir aux racines de la haine, d'entendre les pleurs des victimes. D'écouter, mais surtout d'apprendre. Et une fois que nous avons fait nos recherches – le *chō* de *chōwa* – il ne tient qu'à nous de trouver la force d'agir, à l'échelle aussi bien individuelle que collective. Dans ce chapitre, je souhaite vous raconter comment le *chōwa* a inspiré mon propre engagement caritatif, d'abord avec la Burma Campaign Society, puis avec l'association que j'ai fondée, Aid For Japan, qui vient en aide aux orphelins du tsunami et du tremblement de terre de Tōhoku de 2011. Les principales leçons que je souhaite aborder ici sont les suivantes :

• **S'ouvrir à la souffrance des autres.** S'engager à aider et à faire la différence commence par écouter l'histoire de quelqu'un d'autre. Cela peut être un simple acte de générosité en soi. Le *chōwa* invite à partager le fardeau de la souffrance des autres et quand c'est possible à en tirer un enseignement.

• **Faire ses devoirs et s'assurer d'être préparé.** Nous avons abordé la question de la recherche d'équilibre via une approche plus active de la paix : le *wa* de *chōwa*. Mais avant d'agir, il faut prendre le temps de se renseigner sur les domaines dans lesquels on souhaite s'investir, peu importe combien on pense les connaître ou combien ils nous passionnent. Le *chōwa* consiste à utiliser nos ressources pour aider et à travailler ensemble pour une meilleure société. Cela signifie s'assurer de la pertinence de l'aide qu'on souhaite apporter aux autres, et leur demander « Comment puis-je vous aider ? » au lieu de décider à leur place.

Ne vous préoccupez pas de me rembourser

Le 10 mars 1944, un seul raid aérien au-dessus de Tokyo a détruit près de quarante kilomètres carrés de la ville. Les bombes ont traversé les toits. Certaines ont explosé sous l'impact. Après quelques secondes, d'autres ont libéré du napalm et enflammé les maisons (rappelez-vous les constructions japonaises traditionnelles et les matériaux hautement inflammables qui les composent – bois, papier, chaume, blocs de terre compactée). Plus de cent mille civils ont perdu la vie. Plus d'un million de personnes ont perdu leur maison[41]. Depuis la ferme de ma grand-mère à Musashi, ma mère a regardé Tokyo brûler. Elle n'a jamais oublié la lumière des incendies, aussi claire que le soleil de midi.

Alors que les réfugiés des bombardements affluaient dans les campagnes, ma grand-mère a décidé d'apporter son aide. Sa famille n'avait pas les moyens d'acheter de nouveaux vêtements ni de construire de nouvelles maisons pour tout le monde, mais elle a utilisé les ressources à sa disposition pour les soulager au mieux. Au lendemain d'une catastrophe, ne pas pouvoir se laver correctement peut être une grande source de détresse. Se baigner régulièrement et rester propre est un luxe que les Japonais prennent rarement pour acquis. Ma famille maternelle fabriquait des coffres en bois de paulownia, elle cultivait une petite forêt non loin de la maison et disposait d'une baignoire d'extérieur plutôt grande, pouvant facilement accueillir trois

---

41 Voir Dower (1986), p. 198.

ou quatre personnes en même temps. Ma grand-mère a donc décidé d'organiser une chaîne humaine afin de puiser de l'eau claire dans le lac le plus proche. L'eau était ensuite chauffée et versée dans le bac. Les enfants du village, y compris ma mère, se sont joints à la chaîne. Une file de survivants s'est formée. Se plonger dans l'eau chaude jusqu'aux épaules est très apaisant, même dans les périodes les plus difficiles. Dans le bain, les survivants ont pu prendre le temps de se détendre, trouver un instant de calme au milieu du chaos, et parler les uns avec les autres. Ils se lavaient, nettoyaient leur peau de la suie et des produits chimiques, puis continuaient leur route.

À cause des campagnes de bombardement et des maigres récoltes de 1944 et 1945, le rationnement a continué longtemps après la fin de la guerre. Seules les personnes comme ma grand-mère, capables de produire leur propre nourriture, ont échappé au pire. Ses voisins ne possédaient pas de ferme. Ils n'avaient aucun moyen de cultiver ni d'acheter à manger. Un jour, ils sont venus lui demander de l'aide. Ils n'avaient pas d'argent. Elle n'en avait pas à leur donner, mais leur a offert un grand sac de riz. « Ne vous préoccupez pas de me rembourser, leur a-t-elle dit. Voyez ceci comme un cadeau. » C'est grâce à elle que la famille a survécu.

Plusieurs années plus tard, ma sœur faisait ses débuts dans une nouvelle école et s'est rendu compte qu'une de ses camarades descendait de cette famille. Je la revois rentrer de l'école et nous annoncer qu'une fille de sa classe l'avait remerciée pour le geste de notre grand-mère.

La générosité de ma grand-mère était motivée par un esprit de *chōwa*, une capacité à réfléchir, à froid et dans le calme, à ce dont l'autre personne a besoin pour survivre, à ce qui lui ferait le plus de bien.

Encore plus d'années plus tard, tandis que je réfléchissais à fonder ma propre association caritative, je me suis assise et ai posé la même question : « De quoi avez-vous le plus besoin ? Que puis-je faire pour vous aider à l'obtenir ? »

Dépasser la haine

Il est fréquent que les gens s'engagent auprès d'une association caritative ou dans l'action locale par suite d'un événement personnel. Dans mon cas, c'est arrivé lorsque, alors que je croyais avoir enfin trouvé mon équilibre, j'ai vécu plusieurs expériences qui m'ont renvoyée au même état de vulnérabilité qu'à mon arrivée au Royaume-Uni. Elles ont confirmé mes pires craintes à propos de ce que les citoyens de la reine pensaient vraiment des gens comme moi.

Il y a plus de vingt ans, je donnais une conférence sur la culture japonaise dans une école d'Ipswich. À peine avais-je fini de parler qu'un vieux monsieur s'est levé. Il s'est dirigé droit vers l'estrade et s'est mis à me crier dessus. Il m'a dit qu'il était vétéran de la Seconde Guerre mondiale, qu'il avait servi dans l'armée britannique au Myanmar (ancienne Birmanie). Il avait été capturé par les Japonais et retenu captif dans un camp de prisonniers de guerre. Il avait été torturé et beaucoup de ses amis étaient morts dans le camp. Il m'a hurlé qu'il ne pourrait jamais pardonner mon pays ou mon peuple. « Je déteste les Japonais », a-t-il ajouté.

Parlez de la haine – Les autres participants de l'événement ont pris ma défense. Ils lui ont expliqué que j'étais trop jeune pour avoir été impliquée. Que ce n'était pas ma faute. Je leur ai dit que je me sentais prête à discuter avec ce monsieur. Plus il parlait, plus nous percevions la profondeur de sa blessure.

Et plus il se calmait, plus ses émotions affluaient. Sa colère, sa frustration de ne pas être entendu ont fini par s'atténuer. Il nous a raconté qu'après la guerre, il lui avait été impossible de revenir à la vie civile. Il avait souffert d'horribles cauchemars. Parfois, il avait l'impression que sa propre famille était contre lui. Il regrettait d'avoir été un tel fardeau pour sa femme et ses enfants. Il ne les voyait plus et se sentait souvent très seul. Après le traumatisme du camp d'internement, rien n'avait plus jamais été pareil pour lui.

Ce n'est pas la seule fois où je me suis trouvée face à des gens qui détestaient qui j'étais − en tant que Japonaise ou qu'immigrée. J'ai pris conscience que le problème n'allait pas se résoudre de lui-même. Tant que les personnes de mon propre pays ne comprendraient pas les raisons de cette haine et qu'on ne donnerait pas aux Britanniques l'occasion de parler avec des Japonais, le poison continuerait à se répandre.

Comprenez les raisons de la haine − Je désirais en savoir plus, alors je suis allée assister à une conférence de la SOAS University[42] de Londres. Le conférencier était un homme du nom de Masao Hirakubo. Ancien officier ayant servi en Birmanie pendant la Seconde Guerre mondiale, il avait, une fois à la retraite, entamé une correspondance avec d'autres officiers (britanniques et japonais) ayant combattu en Birmanie et alentour. Il les invitait chaque année à se retrouver à la cathédrale de Coventry. Il souhaitait que ces rencontres soient une opportunité de paix, de réconciliation et une chance de comprendre les raisons de la haine que les anciens soldats se vouaient mutuellement. Après avoir écouté parler Masao

---

42 École des études orientales et africaines de l'université de Londres.

Hirakubo, je me suis retrouvée à travailler pour lui et la Burma Campaign Society pendant près de dix ans.

M. Hirakubo s'était engagé dans l'armée japonaise en 1942 et y avait rapidement atteint le grade de lieutenant. Il a décrit comment l'idéologie de l'État nippon et l'éducation prodiguée des années durant par le gouvernement militaire avaient complètement lavé son cerveau et celui de ses camarades, au point qu'il leur était facile de considérer l'ennemi comme un sous-homme. Il n'avait jamais rencontré une seule personne britannique ou américaine avant d'en affronter au combat. Il m'a suffi de penser à ma propre mère à l'école primaire – à elle et ses camarades aiguisant leurs *naginata* pour affronter les soldats américains jusqu'à la mort –, pour réaliser la virulence et la dangerosité de cette idéologie.

Pardonnez à vos ennemis – Quand j'ai fait sa connaissance, M. Hirakubo était déjà un très vieux monsieur. Mon rôle auprès de lui consistait donc en partie à l'aider à se déplacer, à porter ses bagages, à organiser des événements et à gérer sa publicité. Il y avait juste moi, une Britannique du nom de Phillida Purvis et M. Hirakubo lui-même, ce qui me donnait vraiment l'impression d'être un maillon essentiel de la chaîne. Les réunions annuelles à la cathédrale de Coventry étaient incroyablement émouvantes. Les hommes se retrouvaient, se serraient la main et se déclaraient mutuellement : « À l'époque, nous ne pensions qu'à faire notre devoir et à combattre pour notre pays. Nous étions de bons soldats. Aujourd'hui, nous pouvons être amis. » M. Hirakubo chapeautait les festivités. Chaque année, il revenait pour un nombre toujours plus réduit d'anciens camarades et d'anciens ennemis.

Il ne reste aujourd'hui que très peu de survivants. À quatre-vingt-quatre ans, M. Hirakubo a été fait Officier de l'ordre de l'Empire britannique en récompense de son travail de réconciliation. Il est mort dans son sommeil à l'âge de quatre-vingt-huit ans[43].

Aider les survivants : Aid For Japan

Le 11 mars 2011, un séisme de magnitude 9,0 a frappé la région de Tōhoku, dans le nord-est du Japon. Le tremblement de terre et le tsunami ont entraîné la mort de près de vingt-cinq mille personnes, et cinq cent mille personnes se sont retrouvées à la rue. Plus de mille deux cents enfants ont perdu au moins un de leurs parents, et plus de deux cent cinquante sont devenus orphelins.

Ce soir-là, j'ai reçu un appel de ma fille. Elle m'a dit de courir allumer la télévision et m'a envoyé un lien pour que je suive le fil d'actualité en direct. Nous sommes restées au téléphone pendant un moment, à regarder les images diffusées en boucle. La marée qui se retirait. La vague qui revenait, épaisse de boue et de débris, charriant de gros bateaux et des conteneurs de fret. Sur son passage, l'eau entraînait les lignes électriques et balayait les maisons et les gens : maris et femmes, mères et pères, leurs enfants[44].

Assurez-vous d'être préparés – Ma fille et moi ne pouvions pas tout laisser en plan et sauter dans le premier avion pour le Japon. Elle avait un devoir à finir pour la fac. Je venais tout juste d'accepter une mission de traduction. Nous avons décidé

---

43 Pour plus d'informations, voir le site http://theburmacampaignsociety.org/. (En anglais et japonais uniquement.)
44 Pour plus d'informations sur le tsunami, le tremblement de terre et leurs conséquences, voir Lloyd Parry (2017).

de terminer nos tâches avant de faire quoi que ce soit. Nous étions d'accord sur le fait qu'il nous faudrait nous préparer le mieux possible avant de partir pour Tōhoku et nous impliquer.

Je vous recommande vivement, si vous souhaitez vous lancer dans l'action caritative, de vous assurer que vous êtes dans une position appropriée pour le faire. L'équilibre du *chōwa* implique la conscience d'autrui aussi bien que de vous-même. C'est d'autant plus important quand vous aidez les autres.

Déterminez votre objectif – Tandis que ma fille et moi regardions les informations, je pensais aux enfants dont les écoles se trouvaient sur les hauteurs et qui avaient observé leur maison et leur ville se faire balayer par les eaux. Mon cœur était avec eux. J'ai repensé à mon expérience de mère célibataire au Japon, à la difficulté de l'être dans un pays où chaque aspect de la société s'organise autour de la famille nucléaire. La société japonaise ne fait pas plus de cadeaux aux orphelins qu'aux femmes divorcées (je ne le sais que trop bien).

J'ai pris la décision de monter une association caritative pour venir en aide à ces enfants – les orphelins du tsunami. Je voulais faire mon possible pour contribuer à leur éducation, au moins jusqu'à ce qu'ils atteignent l'âge adulte et puissent subvenir à leurs propres besoins. Voici comment Aid For Japan a vu le jour.

Renseignez-vous – En parallèle des soucis administratifs et légaux liés à la création d'une association, je me préoccupais beaucoup de savoir si nous faisions la bonne chose pour ces enfants. J'ai discuté de ma vision avec plusieurs organisations caritatives et à but non lucratif, ainsi qu'avec des professeurs d'université aussi bien au Royaume-Uni qu'à Tōhoku.

La visite de Tōhoku a marqué une étape importante de notre réflexion. Nous y sommes allées pour la première fois en décembre 2011. Nous avons visité trois orphelinats et rendu visite à des enfants chez eux. Au cours d'une de ces visites, nous avons rencontré l'oncle et la tante d'une petite fille qui avait perdu ses parents, ses grands-parents et sa sœur dans le tsunami. Nous l'appellerons Miki-san.

Le soleil brillait, Miki jouait dehors avec ses amis. Un rayon de ce même soleil tombait sur une photo posée sur la cheminée. C'était la sœur de Miki, morte dans le tsunami. Elle avait un an de moins. Si elle avait eu le même âge, elle aussi aurait été en sécurité à l'école au moment où la vague avait déferlé. Au lieu de ça, Miki avait perdu ses parents, ses grands-parents, sa petite sœur et son chat. Elle avait été recueillie par son oncle et sa tante, mais ils devaient s'occuper de leurs propres enfants et s'apprêtaient à l'envoyer dans un orphelinat. Les taux d'adoption au Japon sont ridiculement bas, et Miki risquait donc d'y passer au moins les six années à venir.

Comme je l'ai déjà dit, le *chō* de *chōwa* est aussi présent dans le verbe « chercher ». La première étape, quand on souhaite apporter la moindre touche significative d'équilibre dans la vie d'autrui, est de se renseigner au maximum sur sa situation et ses besoins. Il faut aussi déterminer (à l'image de ma grand-mère et des ressources à sa portée immédiate) où votre contribution sera la plus utile. Ne vous contentez pas de récolter les faits. Assurez-vous de comprendre au mieux les personnes que vous souhaitez aider. Cela implique parfois de voir au-delà de la situation présente pour évaluer ce dont elles pourraient avoir besoin d'ici un ou dix ans. Quand vous demandez conseil, adressez-vous directement aux personnes concernées (lorsque c'est possible). Qu'est-ce qui leur faciliterait la vie ? Apaiserait un peu leurs souffrances ? Mettez de côté toutes les idées préconçues que vous avez sur ce qu'elles devraient faire ou pas.

Appuyez-vous sur votre réseau – J'ai discuté de mes plans avec autant d'amis et d'élèves que je le pouvais. Ils m'ont posé des questions utiles qui ont permis d'éprouver mes idées et mes motifs. Un week-end, un élève m'a invitée à intervenir au cours d'une émission de radio. Quelques jours plus tard, j'ai été contactée par un avocat. Il avait écouté l'émission et, en compagnie d'un collègue à lui, offrait de me conseiller gratuitement pour tout monter. Mes élèves m'ont aidé à lever des fonds, et nous avons vite collecté assez d'argent pour nous lancer à cœur joie dans le projet.

Tes actions passées comptent autant que celles que tu t'apprêtes à réaliser – Aid For Japan organise chaque été un voyage au Japon afin de permettre aux bénévoles anglais et aux orphelins du tsunami de se rencontrer, d'interagir et de s'amuser ensemble. Les cours proposés offrent une large gamme d'activités visant à développer la confiance en soi des enfants et à les familiariser avec l'anglais. S'y ajoutent des exercices de cohésion, des visites de refuges animaliers et la découverte des différences culturelles entre les deux pays. De nombreux bénévoles nouent des amitiés pour la vie. Aid For Japan dispose aussi d'un programme d'accueil qui invite les orphelins à venir passer un séjour au Royaume-Uni.

Mais les enfants grandissent vite, et nous ne voulons pas disparaître de leur vie. Nous souhaitons également aider la région de Tōhoku (qui souffre depuis longtemps de la discrimination et de l'indifférence des politiques de Tokyo) à se redresser. Nous voulons participer aux changements qui fleurissent dans toute la région au lendemain de la catastrophe.

Les objectifs à long terme d'Aid For Japan sont d'aider et de prendre soin de ces orphelins à travers une série d'initiatives et de programmes de soutien. Cela signifie remplacer progressivement les visites et les séjours de vacances par de nouveaux projets. Dix ans plus tard, beaucoup des premiers enfants avec lesquels nous avons travaillé se souviennent avec joie de leur séjour au Royaume-Uni. Les élèves de Tōhoku n'ont que peu d'opportunités de voyager en dehors du Japon, de profiter de l'expérience d'étudier dans un pays étranger. Nous envisageons donc de créer un programme d'éducation supérieure à destination des deux cent cinquante orphelins, mais aussi de la région Nord-Est. Nous espérons donner à un nombre croissant d'enfants la chance d'élargir leur horizon, de voir le monde et d'améliorer leur anglais (la maîtrise de l'anglais constitue l'un des principaux critères d'opportunités professionnelles au Japon). Dans l'esprit *chōwa*, nous avons fait de notre mieux pour observer la situation en toute objectivité et adapter nos activités afin de rendre le meilleur service possible aux personnes auxquelles nous venons en aide[45].

Venir de l'extérieur : les dangers et les avantages

Le travail caritatif présente ses inconvénients. Quand des personnes mal préparées traversent la planète – même avec

---

45 J'ai créé Aid For Japan en 2011 afin de venir en aide aux orphelins du tsunami. À court terme, l'association les aide au quotidien et prépare leur avenir tandis qu'ils reconstruisent leur vie. Notre objectif à long terme est de les aider via une série d'initiatives et de programmes de soutien.
Pour davantage d'informations et découvrir comment vous impliquer, rendez-vous sur http://www.aidforjapan.co.uk/.

les meilleures intentions —, elles risquent de débarquer au milieu de problèmes dont elles ne connaissent rien. Au mieux, c'est offensant, au pire, cela peut être nuisible. Il est important de le garder à l'esprit et, surtout, d'écouter attentivement les communautés auxquelles nous apportons notre aide.

Parfois pourtant, venir de l'extérieur peut avoir ses avantages. Je me suis un jour rendue dans un des centres d'hébergement temporaire de Tōhoku. C'était une salle de sport transformée en zones de couchage séparées pour les familles. Le lieu était étroit et bondé. Dans un coin, les survivants et les bénévoles se servaient librement du thé et du café. Je m'y suis retrouvée seule avec une femme qui, après quelques instants, m'a déclaré : « J'ai perdu mes trois garçons dans le tsunami ». Je lui ai répondu que je ne pouvais même pas imaginer à quel point cela devait être dur pour elle. Elle a hoché la tête puis a fondu en larmes. « Merci d'être venue », m'a-t-elle dit. Je lui ai répondu que je n'avais vraiment pas fait grand-chose, mais elle a secoué la tête. « C'est un tel soulagement de pouvoir pleurer devant vous. Je ne veux pas pleurer devant les autres femmes. Elles ont toutes perdu un enfant. Elles ont beau savoir que j'ai perdu mes garçons, je ne veux pas pleurer devant elles parce que je ne veux pas qu'elles pensent que ma douleur est plus grande que la leur. Mais je peux pleurer avec vous. »

Aider les gens grâce au *chōwa*

Le *chōwa* inspire grandement ma façon d'aider les autres. Il m'a donné une sorte de « plan de route » de l'engagement. Je souhaite en partager les différentes étapes avec vous dans l'espoir qu'elles vous seront utiles si vous décidez d'impulser des changements positifs dans votre communauté, ou de vous engager dans une association caritative.

LEÇON DE *CHŌWA* : ACCOMPLIR DES CHANGEMENTS À PLUS GRANDE ÉCHELLE

Les questions à vous poser avant de commencer à aider les autres :

• Êtes-vous vraiment prêt pour le travail dans lequel vous envisagez de vous engager ? Avez-vous le temps et l'énergie de vous y tenir ?

• Vous êtes-vous renseigné aussi précisément que possible sur le problème à traiter ou la communauté que vous souhaitez aider ? Avez-vous parlé directement aux personnes concernées ?

• Exploitez-vous au maximum votre réseau personnel et professionnel ?

• Avez-vous réfléchi avec soin aux objectifs que vous souhaitez atteindre ?

III
ÉQUILIBRER LE PLUS IMPORTANT

9

L'HARMONIE ALIMENTAIRE

Itadakimasu
Je reçois cette nourriture en toute humilité.

« Bon appétit » en japonais

Quel est le rapport entre la nourriture japonaise et le *chōwa* ? Entre la nourriture japonaise et la recherche de l'équilibre ? Et avec l'harmonie ? L'art gastronomique traditionnel nippon porte le nom de *washoku* – on y retrouve le même *wa* que dans *chōwa* et qui, en plus de « paix », a le sens de « japonais » (comme dans *wa-fū*, le style japonais, ou *wa-fuku*, les vêtements japonais). *Washoku* signifie donc littéralement « nourriture japonaise ». Parmi ses grands classiques, on compte les sushis, les ramen, les nouilles, les crêpes japonaises (*okonomiyaki*) et le tempura. Mais il y a tellement plus. En réalité, le *washoku* ne se limite pas à la nourriture et fait la part belle à toutes les autres acceptions de *wa*. Derrière la préparation, la présentation et même la dégustation du *washoku* œuvrent des compétences, des savoirs et des traditions qui font du plat le plus simple une expérience culturelle profonde et un cours d'histoire vivante – en équilibre.

Nous allons nous pencher sur les éléments du *washoku* qui

illustrent le mieux le *chōwa*, en particulier le repas *kaiseki* : un festin réunissant pas moins de quatorze plats différents et dont le moindre ingrédient et le plus minuscule détail de décoration sont soigneusement étudiés. Une véritable master class de méditation et d'équilibre. Mais le *chōwa* en action ne se limite pas à la haute cuisine – le *washoku* se retrouve aussi bien dans les plats de cantine que dans la cuisine maison. Dans ce chapitre, nous allons aborder les leçons suivantes :

• **Trouver l'équilibre grâce au washoku.** La gastronomie japonaise est un délicat équilibre de cinq saveurs, cinq types de cuisson et cinq couleurs. Dans ce chapitre, je vais vous expliquer comment intégrer la philosophie du *washoku* à votre propre cuisine, afin de repenser votre rapport à la nourriture.

• **Manger en harmonie avec la nature.** Le *shōjin ryōri* (cuisine bouddhiste) illustre à merveille le profond respect des ingrédients, la conscience du passage des saisons et l'engagement à produire aussi peu de déchets que possible qui sous-tendent le *washoku*. Le *washoku* offre en effet des pistes de réflexion en matière d'équilibre personnel, mais aussi de recherche d'harmonie avec nos communautés et avec la nature.

Éléments de *washoku*

La nourriture constitue une force équilibrante capable de nous ramener à nous-mêmes (mais vous le savez probablement déjà s'il vous arrive de vous requinquer avec un bon petit plat maison). C'est particulièrement vrai du *washoku*. Une seule bouchée de cette association unique de textures et de saveurs suffit à résoudre n'importe quel conflit intérieur et à se sentir à nouveau en paix avec le monde. La nourriture *washoku* tend à être plutôt salée, mais aussi légèrement sucrée, parfois un peu amère, et chargée d'*umami*. (Mot d'origine japonaise signifiant

« délicieuse saveur », désormais utilisé par les spécialistes du monde entier pour décrire une saveur forte et très appétissante, pas uniquement dans la cuisine japonaise mais dans une large variété d'aliments dont les champignons, la sauce soja et le poisson.) Elle nous aide à rétablir nos niveaux d'énergie et à nous réaligner avec la nature, quelles que soient la météo ou l'époque de l'année.

Le *washoku* est étroitement lié à de nombreux pans de la culture japonaise. Certains plats sont servis à l'occasion de fêtes saisonnières – comme les nouilles soba du 31 décembre. (Lorsque ces nouilles longues et fines se rompent, elles symbolisent la fin de l'année et le début de la suivante.) La proximité du *washoku* avec le rythme naturel des saisons n'est qu'une seule des nombreuses raisons pour lesquelles il a été reconnu « patrimoine culturel immatériel de l'humanité » par l'Organisation des Nations unies pour l'éducation, la science et la culture (Unesco). Voici l'ensemble de ces raisons :

• le *washoku* respecte le goût de chaque ingrédient ;
• le *washoku* accentue l'équilibre nutritionnel de chaque plat ;
• le *washoku* utilise des ingrédients frais et de saison ;
• le *washoku* s'incarne dans de magnifiques plats où les détails les plus minuscules ont toute leur importance[46].

En tant que personne cuisinant régulièrement à la fois japonais et anglais, je peux honnêtement dire que les principes du *washoku* m'influencent, que je prépare de la nourriture japonaise ou non. Le *chōwa* influence chacune des règles de base de la préparation du *washoku*, car chaque plat *washoku* repose sur une quête d'équilibre : le bon goût, l'équilibre

---

46 https://ich.unesco.org/fr/RL/le-washoku-traditions-culinaires-des-japonais-en-particulier-pour-feter-le-nouvel-an-00869?RL=00869

nutritionnel, le respect des saisons ou la présentation idéale. Je pense que ces éléments sont universels. Tout le monde peut s'en servir pour équilibrer sa cuisine.

Respecter le goût de chaque ingrédient – Malgré des saveurs très simples, les plats japonais respectent le goût de chaque ingrédient. Les chefs nippons tendent à considérer que moins il y en a, mieux c'est. Aucun ingrédient n'est donc noyé dans une sauce outrageusement épicée, aillée ou sucrée. Le *washoku* laisse s'exprimer les saveurs des produits frais. Afin de sublimer le goût subtil et délicatement beurré d'un morceau de saumon cru, ou le goût terreux d'une patate douce japonaise, les chefs se laissent porter par les saveurs naturelles. De nombreux plats *washoku* s'élaborent autour de légumes ordinaires : aubergine, racine de taro, patate douce ou radis *daikon* (radis blanc). Les assaisonnements, garnitures et accompagnements participent eux aussi de la quête de l'équilibre d'un plat : le salé des flocons de bonite séchée pour contrer le goût naturellement sucré d'une courge *kabocha*, l'aigreur d'un légume au vinaigre pour compléter un bouillon de poisson salé, ou l'amertume du thé vert pour accompagner la saveur salée très prononcée de la soupe miso – ces saveurs se complètent sans se concurrencer.

Cuisiner pour trouver l'équilibre – Les cuisiniers japonais sont formés pour envisager chaque plat comme un équilibre des cinq saveurs :
1. Amère – *shibumi* – poudre de thé vert (matcha)
2. Acide – *suppai* – vinaigre
3. Salée – *shoppai* – flocons de poisson salé et séché
4. Sucrée – *amai* – vin de riz sucré

5. Délicieuse – *umami* – sauce soja, champignons

Aucune recette ne vous révélera l'équilibre idéal de ces saveurs. Le goût est subjectif. Mais la prochaine fois que vous cuisinerez (japonais ou non), essayez de considérer un peu plus consciemment l'association de ces saveurs. Chaque plat que nous préparons devrait viser l'équilibre de ces saveurs naturellement contradictoires ; une harmonie délicate et jamais tout à fait parfaite.

Veiller à l'équilibre nutritionnel de chaque plat – Le repas japonais de base est composé d'une soupe, de trois accompagnements et d'un bol de riz. On l'appelle le *ichi-jū-san-sai*, soit littéralement « une soupe, trois plats ».

Le plat principal constitue généralement l'apport en protéines (avec une tendance marquée pour le poisson), accompagné de tofu, de carottes, de radis, de racines de bardane ou de tout type de légume de saison ou de produit issu du soja, généralement additionnés de pickles japonais (*tsukemono*).

À l'exception du bol de riz blanc qui accompagne chaque repas, la nourriture japonaise contient assez peu de glucides. L'apport en protéines est modeste lui aussi, et provient plus souvent de poisson que de viande. Le *washoku* évite les ingrédients transformés – comme la viande et le fromage transformés – et n'utilise que très peu de sucre. D'après certains spécialistes, il semblerait que le *washoku* ait un lien avec la longue espérance de vie des Japonais. Les personnes suivant un régime alimentaire d'inspiration japonaise (riche en céréales et en légumes, aux apports modérés en viande et en poisson) présentent des taux d'obésité moindres et des chances plus élevées de vivre plus longtemps et en meilleure santé.

Le repas *kaiseki* : leçon d'équilibre par les plus grands chefs

Il y a quelques années, j'ai organisé un tour des restaurants étoilés du Japon pour un groupe de chefs britanniques. J'ai réservé les tables et assuré l'interprétation pendant les repas. Il ne s'agissait pas uniquement de traduire les menus. Pour apprécier véritablement un repas japonais, en particulier lorsqu'il s'agit de gastronomie *kaiseki*, il faut impérativement être accompagné d'une personne qui parle le japonais. Les leçons derrière le repas, l'explication de l'origine de chacun des ingrédients qui composent les plats ou des choix esthétiques requièrent – à l'image de la lecture d'un *haïku* ou de la vue d'une pièce *kabuki* – la présence d'un traducteur.

Le *kaiseki* a été développé au XVIe siècle par des adeptes pratiquants de la cérémonie du thé. Le terme signifie « pierre ventrale » (les moines zen plaçaient autrefois une pierre chaude sur l'avant de leur habit pour tenir la faim à distance). Le *kaiseki* est un repas simple et modeste, peut-être même d'une simplicité inattendue pour de la gastronomie. Mais pour un repas pensé par des moines, il est particulièrement somptueux. En plus des cinq saveurs, la cuisine *kaiseki* cherche à équilibrer les cinq couleurs de la cuisine traditionnelle (rouge, vert, jaune, blanc et noir) et les cinq sens (odorat, goût, toucher, ouïe et vue). La vue est particulièrement flattée car le *kaiseki* se déguste autant avec les yeux qu'avec les papilles.

Nous avons rejoint le restaurant Kikunoi à Kyoto un soir d'avril, après avoir longé à pied les rives de la rivière Kamo depuis la gare de Sanjo. Nous sommes passés sous un *shimenawa* – une corde sacrée tissée en paille de blé – pour accéder à une simple entrée en bois. Après avoir ôté nos chaussures dans le vestibule, nous sommes montés sur le parquet du restaurant principal.

Les membres de la brigade de cuisine, tout de blanc vêtus, nous ont salués bien bas et nous avons pénétré dans une grande pièce couverte de *tatami*. Décorée uniquement d'une estampe représentant une puissante cascade, et d'une branche de prunier en fleurs placée dans un vase derrière la porte, cette pièce s'ouvrait sur une magnifique bambouseraie. Notre serveuse, en kimono, ouvrait et refermait délicatement le panneau *shōji*. Elle a salué notre groupe avant de présenter le premier plat et d'expliquer le choix de chaque ingrédient : la daurade de saison, le riz, les *nanjo* pickles et le poisson *shinko* frit (une spécialité de la fin du printemps). Elle a expliqué l'histoire des fleurs qui ornaient le long plateau, et du *hassun* sur lequel étaient servis nos amuse-bouches. La nourriture s'accompagnait d'une maxime zen magnifiquement calligraphiée à l'encre noire sur un morceau de papier traditionnel.

J'ai fait de mon mieux pour retranscrire son discours riche d'informations. À un moment, une des chefs m'a tapé sur l'épaule et m'a avoué : « Nous ne comprendrions rien du tout à cette nourriture si vous n'étiez pas à nos côtés pour l'interpréter ».

Il faut vivre ce festin *kaiseki* en chair et en os pour comprendre toute l'étendue de cette leçon d'équilibre dispensée par les plus grands maîtres[47].

Cuisinez des produits de saison – Réfléchir à notre alimentation via le prisme du *chōwa* et envisager chaque repas comme une quête d'équilibre en soi permet de s'accorder davantage aux cycles naturels. S'il nous semble normal d'admirer la floraison de différentes fleurs des champs selon

---

47 Site du restaurant : http://kikunoi.jp

le mois, et de ne pas porter la même tenue une après-midi d'automne ou un soir d'été, nous oublions parfois que nos besoins physiques varient eux aussi au fil de l'année. L'utilisation de produits de saison est le meilleur moyen de les satisfaire en toute simplicité.

La nourriture *washoku* accompagne donc aussi étroitement que possible le changement des saisons et ce, jusqu'à la présentation et à la découpe des aliments ! Il n'est pas rare de voir des légumes découpés en forme de fleurs de cerisier au printemps, de feuilles d'érable en automne ou de fleurs de prunier en hiver. (La décoration des supermarchés n'est pas en reste.) Bien qu'il ne s'agisse que de petits clins d'œil à la nature, de subtils rappels de notre relation avec le monde naturel, ce sont les manifestations du très profond respect de la cuisine *washoku* pour le cycle des saisons.

Voici quelques pistes inspirées du *washoku* pour vous aider à trouver votre équilibre en cuisinant avec des produits de saison :

• **Légumes de saison.** Suivez l'esprit *chōwa* : renseignez-vous. Quel fruit pousse dans votre pays à cette époque de l'année ? Manger des fruits et légumes de saison vous aidera à vous sentir plus en accord avec la nature, d'autant qu'aux bienfaits psychologiques s'ajoutent les bienfaits écologiques. (Personnellement, je prends un tel plaisir à manger de l'ail sauvage quand il me suffit d'aller marcher pour en trouver en bord de chemin !) Au Japon, manger des fraises importées au milieu de l'hiver passe pour le summum du gâchis et du caprice.

• **De la nourriture pour rester au frais.** En suivant le rythme des saisons, nous apportons à notre corps exactement ce dont il a besoin, toute l'année. Pour vous donner quelques exemples, l'été est la saison des nouilles *soumen* servies sur de la glace puis trempées dans une sauce soja légère ; en revanche, nous sommes plus friands des tranches de pastèque achetées à un vendeur de rue que de véritable crème glacée et, juste avant le plus fort de l'été, nous dégustons avec plaisir de l'anguille salée, riche en protéines.

• **De la nourriture pour rester au chaud.** En hiver, nous mangeons de la soupe de potiron japonais – on achète en général un très gros potiron afin de préparer des soupes pour plusieurs soirs de suite. Au solstice d'hiver, nous ajoutons du yuzu à tous nos repas. Nous en ajoutons même dans l'eau de notre bain afin de profiter d'une magnifique décoration de saison aux bienfaits aromathérapeutiques – en plus d'être bon pour la peau, le parfum du yuzu a quelque chose de délicieusement chaleureux.

Soignez la présentation de chaque repas – En matière d'esthétique gastronomique japonaise, l'éducation des chefs cuisiniers que j'accompagnais a débuté dès notre atterrissage à l'aéroport de Narita. Quelques membres du groupe, affamés, se sont éloignés pour acheter à déjeuner dans une supérette. Ils en sont revenus très impressionnés. Les boîtes bento du commerce sont toujours bien équilibrées et magnifiquement présentées, chaque élément dans une section distincte. La nourriture est lumineuse et colorée – le jaune des beignets de crevette tempura (parfaitement croustillants et encore chauds), le marron des champignons charnus, glacés à la sauce soja sucrée au sésame, le blanc des sushis, l'éclat rose du gingembre au vinaigre, le vert vif du wasabi, le tout accompagné par une petite salade à l'occidentale composée de carottes râpées, de feuilles de laitue et de tomates fraîches.

Cette petite œuvre d'art coûte la modique somme d'environ 350 yens (environ 2,90 euros).

Équilibrez les cinq couleurs – Blanc, noir, rouge, vert et jaune – ces cinq couleurs s'affichent dans presque tous les plats japonais. Mais ce n'est pas qu'une histoire d'aspect. Conjuguer les cinq couleurs améliore l'apport nutritionnel du plat. Imaginez une boîte bento : riz blanc, un soupçon de graines de sésame noir, un morceau de *tamagoyaki* (omelette frite) jaune, des pois edamame verts et une prune au vinaigre rouge vif pour compléter le tout. Mon partenaire se moque parfois de mon affection pour la « nourriture beige » anglaise, comme le fish & ships ou des œufs brouillés sur un toast – mais, justement, le fish & ships n'est-il pas métamorphosé par la simple présence de pois cassés ? Ou le petit-déjeuner par une tranche de saumon fumé et une portion d'épinards ? C'est la même chose pour le *washoku*. Un peu d'algue *nori* séchée avec le riz, ou quelques pickles jaunes et une poignée de tomates cerises pour accompagner une soupe miso améliorent aussi bien l'apparence que l'équilibre nutritionnel d'un repas[48].

Le *chōwa* et l'alimentation durable

Le *washoku* m'évoque la continuité et le changement : ce qui perdure, comme la tradition culinaire japonaise, et ce qui change, comme l'augmentation de la consommation de viande pendant l'ère Meiji (1868-1912) et la multiplication des enseignes de fast-food à l'occidentale après la Seconde Guerre mondiale. Aujourd'hui plus que jamais, nous devrions tous envisager sérieusement de manger de façon durable, écologique et plus respectueuse de notre planète et de nous-mêmes. L'histoire

---

48 Voir Risa Sekiguchi, *The power of five* (*Le pouvoir du chiffre cinq*), https://www.savoryjapan.com/learn/culture/power.of.five.html

culinaire du Japon offre plusieurs leçons de *chōwa*. C'est l'histoire d'un pays et de son peuple en quête de l'équilibre dans son environnement. Mais c'est aussi une mise en garde : l'équilibre n'est jamais acquis.

Shōjin ryōri – l'équilibre personnel et naturel – *Shōjin ryōri* signifie « cuisine de la dévotion ». Dōgen, son inventeur (fondateur du bouddhisme zen), s'est inspiré de la cuisine végane chinoise et en a introduit une variante au Japon au XIIIe siècle. Il l'a baptisée « cuisine de la dévotion » car il la considérait comme la plus adaptée pour préparer l'esprit à accueillir les enseignements de Bouddha. En matière de réduction de notre impact sur l'environnement, de non-violence envers les créatures vivantes ou simplement de santé et d'équilibre, le *shōjin ryōri* a beaucoup à nous apprendre.

Non-gâchis – Un des principes fondateurs du *shōjin ryōri*. La cuisine de dévotion bouddhiste utilise, dans la mesure du possible, toutes les parties comestibles de l'ingrédient (y compris les fanes de carotte ou les épluchures de radis, souvent utilisées dans la soupe qui suit le plat). Pourquoi ne pas essayer, la prochaine fois que vous cuisinerez ? Plutôt que de jeter le vert des ciboules, hachez-le et ajoutez-le à une soupe miso. Si vous achetez un radis blanc pour cuisiner un repas japonais, ne jetez pas les feuilles, elles vous serviront à préparer un assaisonnement de riz appelé *furikake*. Lavez, hachez grossièrement et faites revenir les feuilles dans de l'huile de sésame chaude avec du mirin (vin de riz japonais). Salez et poivrez. Laissez mijoter à feu doux jusqu'à quasi-évaporation de la sauce et régalez-vous des feuilles gorgées de délicieuses saveurs.

Non-violence – Le *shōjin ryōri* est complètement végan. L'apport en protéines provient des aliments issus du soja (comme le tofu), servis accompagnés de légumes de saison et agrémentés de plantes sauvages de montagne. Un repas typique comprend des *abura-age* (des poches de tofu frites) ou du *natto* (graines de soja fermentées au goût atypique, salé et très prononcé). D'ailleurs, la plupart des Japonais trouvent très amusant d'observer des visiteurs manger du *natto* pour la première fois. Il est classé parmi les « superaliments », vous en trouverez sans trop de mal dans le supermarché asiatique le plus proche de chez vous. Chaque grain que vous attrapez entre vos baguettes entraîne un fil mousseux et gluant, au goût irrésistible. Pour éviter d'en mettre partout, je vous conseille de le mélanger à un bol de riz gluant[49].

Manger des animaux – Le rapport historique du Japon avec la viande illustre le *chōwa* en action : une lutte permanente pour équilibrer la volonté des gouvernants, les ressources limitées à leur disposition et les préférences des citoyens. Au ve siècle, le régime alimentaire ordinaire se composait principalement de riz, de légumes et de poisson. Sur ce territoire montagneux qu'est le Japon, il n'y a que très peu d'espace disponible pour élever du bétail. L'arrivée du bouddhisme et de ses principes de non-violence envers les créatures vivantes a entraîné l'instauration de la première interdiction nationale de consommer de la viande. (Les shoguns et seigneurs locaux ont toutefois continué à utiliser la viande comme cadeau, au moins en de rares occasions au cours desquelles la mise à mort

----

49 Voir https://savorjapan.com/contents/more-to-savor/shojinryori-japans-sophisticated-buddhist-cuisine/

et la dégustation de l'animal faisaient l'objet d'une cérémonie digne des arts martiaux.)

Au XIX⁰ siècle, en plus d'adopter un style vestimentaire et une éducation à l'occidentale, les gouvernants japonais en route vers la modernisation ont glissé vers des habitudes alimentaires plus occidentalisées. Le peuple a toutefois mis longtemps à dépasser ses principes ancestraux de non-violence envers les êtres vivants et à se résoudre à tuer son bœuf – qui faisait un excellent travail de labour ou de transport de charges lourdes – pour se mettre à élever du bétail en grand nombre. La levée de l'interdiction a provoqué la colère des moines bouddhistes et leur descente en masse à Tokyo en guise de protestation. Ils craignaient que l'âme même du Japon soit en péril.

Il semble que ces craintes monastiques aient été justifiées. Le Japon est aujourd'hui l'un des plus gros importateurs de viande au monde. Contrairement à l'autosuffisance (ou quasi) de l'ère Edo ou des années 1960, le pays compte aujourd'hui parmi les plus dépendants des pays développés en matière de nourriture. Je ne parviens pas à chasser l'impression que j'ai que le Japon a perdu son équilibre alimentaire[50].

À une époque où nous devons tous – où que nous vivions sur la planète – reconsidérer attentivement notre équilibre avec la nature, en tant qu'espèce et en tant qu'individus, peut-être est-il temps pour nous de nous appuyer sur le pouvoir du *chōwa* pour manger de façon plus éthique.

---

50 Voir Tatiana Gadda et Alexandros Gasparatos, « Tokyo drifts from seafood to meat eating », 9 octobre 2010, https://ourworld.unu.edu/en/tokyo-drifts-from-seafood-to-meat-eating.
Voir aussi Kristi Allen, « Why eating meat was banned in Japan for centuries », 26 avril 2019, https://www.atlasobscura.com/articles/japanmeat-ban

Moins de viande, moins d'impact sur l'environnement – Plus nous exigeons de viande, moins nous disposons de terres pour l'agriculture durable. Pour vivre en harmonie avec la nature, réduire notre consommation de viande importe autant qu'économiser l'énergie ou recycler.

Une consommation de poisson plus responsable – Le *washoku* privilégie les poissons selon l'époque de l'année. Au-delà du respect de la tradition, c'est primordial pour réduire notre impact sur les océans. Jetez un coup d'œil à *The Good Fish Guide* de la Marine Conservation Society (https://www.mcsuk.org/goodfishguide/search, site non traduit) ou au Guide du WWF sur les produits de la mer (http://www.consoguidepoisson.fr/) pour plus d'informations sur une consommation responsable.

LEÇON DE *CHŌWA* :
HARMONIE ALIMENTAIRE

Trouvez votre équilibre avec le pouvoir du *washoku*
Pour vous aider dans votre voyage vers l'équilibre des cinq saveurs, des cinq couleurs et des cinq types de cuisson, inspirez-vous de ces combinaisons *washoku* :
• Imaginez le brocoli et sa saveur sucrée et légèrement amère, trempé dans de la sauce soja salée.
• Ou pensez bar grillé à la braise, servi avec des pois mange-tout sucrés et la légère amertume des racines de lotus fraîchement coupées et blanchies.
• Ou pourquoi pas un bol de riz blanc accompagné d'une soupe

miso dans laquelle flottent des coques d'œuf (coquillage japonais), et la délicieuse acidité d'une petite *umeboshi* (prune au vinaigre) pour couronner le tout ?

Les cinq saveurs du *washoku*
- amèr
- acid
- salé
- sucré
- délicieux

Les cinq couleurs du *washoku*
- blanc
- noir
- rouge
- vert
- jaune

Les cinq cuissons du *washoku*
- mijoté (comme une soupe ou un ragoût)
- sauté
- cuisson vapeur
- rôti
- grillé

Le *washoku* inclut aussi de nombreux aliments crus. Bien que « cru » ne soit pas un mode de cuisson, vous connaissez très probablement la passion des Japonais pour les tranches de poisson cru (*sashimi*), ou le poisson cru servi sur du riz blanc ou sur des rouleaux d'algues et de riz (*sushi*). Le poisson cru a de nombreux bienfaits : il est riche en acides gras oméga-3 et contient des taux élevés de protéines.

10

TROUVER L'ÉQUILIBRE
AVEC LA NATURE

*« Mon Prince, il se passe à l'ouest
des événements funestes. Si tu y diriges
tes pas et portes sur le monde un regard sans haine,
tu trouveras peut-être le moyen de vaincre la terrible
malédiction qui pèse sur notre pays. »*

Princesse Mononoké (1997)[51]

Nos gouvernants acceptent de plus en plus l'idée que nous, les êtres humains, devions agir pour rétablir l'équilibre de la planète. À l'échelle individuelle, nous savons déjà que cette action risque d'être infiniment plus exigeante que prévu. Bien que nous soyons déjà nombreux à nous efforcer de réduire notre impact environnemental, à recycler les sacs en plastique et nos déchets et à réduire notre empreinte carbone, on nous dit que nos efforts ne suffisent pas à contrer les dégâts infligés quotidiennement à notre planète. Le simple fait de penser à l'étendue de ces dégâts et à l'énormité du défi qui nous attend est épuisant et provoque un tel sentiment d'impuissance !

Le pouvoir du *chōwa* à lui seul ne suffira pas à sauver le monde. Mais il pourrait nous aider à adopter le bon état d'esprit pour reconnecter avec la nature. La première étape consiste à prendre le temps d'examiner notre rapport profond à la nature,

---

51 Extrait de *Princesse Mononoké* du Studio Ghibli (1997).

à prendre conscience de l'extrême fragilité de sa beauté. Nous pouvons ainsi modifier notre comportement envers elle, qu'il s'agisse de réagir à son éphémère beauté ou d'apprécier sa puissance et sa capacité de destruction infinies. Le *chōwa* nous apprend à répondre à une crise avec le niveau d'urgence approprié, sans abandonner notre compassion. Les principales leçons de ce chapitre sont les suivantes :

• **N'oubliez jamais : vous êtes la nature.** La culture traditionnelle japonaise s'ancre dans la conscience du fait que l'humanité est une espèce animale comme les autres et, à ce titre, fait partie de la nature. Je vais me servir d'exemples datant de l'ère Edo pour illustrer comment (même au milieu de nos vies quotidiennes animées, que nous vivions dans un petit village ou dans une grande ville) nous pouvons prendre soin de notre planète de façon plus active.

• **Le wa et la nature.** Le *chōwa* nous permet d'apprécier la nature pour ce qu'elle est : à la fois magnifique et puissante, notre sauveuse et notre perte. Pour le meilleur ou pour le pire, nous participons de ses cycles de création et de destruction, de sa précaire harmonie.

Nous sommes nature : leçons de *chōwa* depuis l'ancienne Edo

La période Edo (1603-1868) a vu la ville fortifiée éponyme (actuelle Tokyo) devenir l'une des plus grandes métropoles du monde. C'est à sa périphérie que la famille Tanaka vit depuis plusieurs centaines d'années. Les ancêtres samouraïs de mon père ont servi l'homme à l'origine de la construction du château d'Edo, et la famille de ma mère fabriquait et restaurait des meubles en bois de paulownia. La culture de cette époque me fascine depuis longtemps et plus j'entends parler de l'urgence climatique actuelle, plus je perçois dans le comportement de mes ancêtres des éléments qui mériteraient d'être partagés avec le plus grand nombre. Après tout, malgré la densité de population, les habitants d'Edo cohabitaient avec la nature en toute harmonie, et il est grand temps que nous en prenions de la graine.

Mono no aware : la fragilité du monde naturel – Les chants d'oiseaux au lever du jour, les feuilles d'un arbre palpitant devant la fenêtre d'un bureau et l'ombre verte qu'elles projettent à travers la pièce, les insectes découverts dans le jardin et que nos enfants viennent fièrement nous montrer. Nous nous émerveillons de notre place dans l'univers, en sachant que ces moments uniques se reproduiront. Ce sentiment porte le nom de *mono no aware*.

L'expression *mono no aware* (prononcer a-wa-ré) peut se traduire par « de l'empathie envers toutes les choses ». *Mono* signifie « choses ». *Awa-re* est une très vieille expression de surprise et de mélancolie, voire d'émerveillement. Pendant l'ère Edo, les gens du commun recevaient leur éducation en *mono no aware* d'artistes comme Hokusai. (Ses vues du mont Fuji capturent aussi bien la beauté que la tristesse du monde naturel, et notre place en son sein. En premier plan, on y voit des gens qui s'amusent, bavardent, pique-niquent, jouent de la musique, inconscients de la valeur du temps, sous la beauté éphémère des fleurs de cerisier. En dernier plan, la superbe montagne veille.) *Mono no aware* est un profond soupir, embué par la triste conscience du fait que rien ne dure. C'est une situation de *chōwa* classique, entre l'enthousiasme et la tristesse, l'espérance et la résignation : la nature est belle. Toute beauté est vouée à disparaître.

• **Dépassez la simple «conscience» des problèmes.** On nous dit de « prendre conscience » du changement climatique et des menaces qui pèsent sur la biodiversité. À mon avis, la conscience ne suffit plus, nous devons nous informer, connaître les faits. Dans la langue du *chōwa*, nos « recherches » devraient être motivées par une approche plus émotionnelle : un sens du *mono no aware*. Plus vite nous traiterons le monde avec empathie, plus vite nous comprendrons véritablement ce que nous sommes sur le point de perdre.

Mottainai : **pas de gâchis, pas de désirs excessifs** – *Mottainai* peut littéralement se traduire par « pas de gâchis » et s'utilise habituellement comme une exclamation qui équivaut à « quel dommage ! » (quand on oublie des produits frais toute la nuit devant la porte, ou quand on fait remarquer à son partenaire qu'il ou elle vient de jeter une très bonne paire de chaussures ayant juste besoin d'un petit tour chez le cordonnier et d'un bon coup de cirage).

Le *mottainai* nous incite à exploiter pleinement les objets en notre possession, afin de leur assurer une durée de vie aussi longue que possible. C'est un engagement, quand nous le pouvons, à réparer au lieu de remplacer. C'est savoir que mieux nous les servons, mieux ils nous serviront.

Comment une large communauté basée sur la réparation et le recyclage fonctionnerait-elle, concrètement ? Après tout, nous sommes nombreux à vivre dans une société de consommation. Nous aimons acheter de nouvelles choses et beaucoup de nos emplois dépendent de leur vente. Mais l'exemple du Japon de l'ère Edo nous prouve que la vie urbaine moderne, loin de s'appauvrir, peut s'enrichir grâce à la réutilisation et au recyclage.

Mottainai – conseils pour une société zéro déchet depuis l'ancienne Edo

Dans la cité d'Edo cohabitaient d'innombrables camelots, magasins de seconde main et petits commerces qui proposaient de réparer vos chaussures, votre éventail en papier, votre vieux kimono et même vos tasses et vos bols cassés. Un réparateur de parapluies transportait un tas de parapluies cassés (fabriqués en papier huilé et en bambou) qu'il pouvait soit réparer et rendre à leur propriétaire, soit restaurer et revendre à moitié prix. Ces personnes étaient l'huile qui permettait à l'économie de la ville de fonctionner sans accroc. Le résultat était une société urbaine moderne – bien que coupée du reste du monde pendant plus de deux cent cinquante ans ! Une société urbaine aussi proche que possible du zéro déchet[52].

Itadakimasu – exprimer sa gratitude envers chaque personne ayant contribué à apporter la nourriture jusqu'à la table – À l'ère Edo, les fermiers représentaient la deuxième classe sociale la plus importante après les samouraïs. Ils produisaient la plus importante marchandise de toutes : la nourriture. Depuis l'ère Edo jusqu'au Japon moderne, le principe de *mottainai* se trouve étroitement lié au désir de gâcher aussi peu de nourriture que possible. Laisser ne serait-ce qu'un seul grain de riz dans son bol est considéré comme malpoli. Le *chōwa* nous enseigne que la quête de l'équilibre implique d'apprendre à réagir au monde qui nous entoure de façon appropriée. En termes d'alimentation, cela signifie exprimer

---

52 Les illustrations présentes dans *Fukugen edo seikatsu zukan* (Kashiwa Shobo, 1995) m'ont inspiré cette scène fictive de l'ancienne Edo.

notre reconnaissance envers chaque personne ayant contribué à mettre de la nourriture sur notre table. Encore aujourd'hui au Japon, lorsque nous nous installons pour manger, nous joignons nos mains et prononçons :

いただきます

i-ta-da-ki-ma-su

Je reçois cette nourriture humblement et avec respect.

Moins formels qu'une prière, plus sérieux que « bon appétit », ces mots expriment notre gratitude envers l'agriculteur qui a cultivé les légumes, le supermarché où nous avons acheté les ingrédients et la personne qui a cuisiné le repas, ainsi qu'envers la nature : le soleil, la pluie, les nutriments du sol. Gâcher la nourriture serait gâcher tous les efforts et toutes les ressources qui ont participé à la fabrication de notre repas. Remercier est une façon de reconnaître notre propre place dans le tableau.

• Dans l'esprit *mottainai*, la prochaine fois que vous mangerez au restaurant ou chez quelqu'un, n'hésitez pas à demander une portion réduite si vous craignez de ne pas tout manger. C'est une demande qui n'a rien d'inhabituel dans les restaurants et cantines du Japon. Chez vous, n'hésitez pas à conserver les restes au lieu de les jeter, ils seront mangés le lendemain. Par respect pour l'agriculteur, la personne qui a préparé le repas et les ressources elles-mêmes, il importe de gâcher aussi peu que possible.

• Pourquoi ne pas introduire plus activement le *mottainai* chez vous ? Essayez de préparer des repas à partir des restes de votre réfrigérateur, ou d'acheter des produits à consommer rapidement au lieu de faire des réserves qui vont se périmer avant que vous ne les utilisiez.

Sho-yoku, *chi-soku* : petits désirs, grande satisfaction – L'heure est venue de faire appel à un peu de philosophie pour cibler le cœur du problème : « Ne t'attaque pas aux objets eux-mêmes, attaque-toi au désir d'en posséder davantage ».

小欲知足

sho-yoku, chi-soku

Ces caractères signifient littéralement « petit désir, sage suffisance ». On pourrait les traduire par « maîtriser ses désirs permet de se satisfaire de ce que l'on possède déjà », mais la réciproque marche aussi : connaître le sens de la suffisance permet de combattre la puissance du désir (voire de l'avidité, dans un mauvais jour).

La métaphore du verre à moitié vide ou à moitié plein sert souvent à illustrer la différence entre les pessimistes et les optimistes. Elle peut aussi illustrer la différence entre la satisfaction et l'envie. Imaginez un verre à moitié vide. Si vous avez envie d'un verre plein, alors vous désirez le double de ce que vous possédez déjà. Maintenant, imaginez un verre à moitié plein. Si vous vous contentez de ce que vous avez, alors vos désirs sont comblés.

Plus nous désirons, moins nous sommes satisfaits. Et puisque désirer des choses entraîne l'insatisfaction, alors il n'y a pas loin à aller pour suggérer que *diminuer la quantité de choses que nous voulons posséder* nous permettrait d'être plus satisfaits dans la vie. C'est différent du minimalisme. Ordonner et désencombrer nos vies peut aider, mais ne mènera pas forcément à un réel sentiment d'équilibre. Pour cela, nous devons examiner plus attentivement les motivations derrière notre désir d'acheter.

• **Attaquez-vous au désir en lui-même.** Essayez de vous dire : « J'ai exactement ce dont j'ai besoin. » Pour trouver un équilibre durable, nous devons remonter à la source de notre surconsommation, de notre désir d'acheter toujours plus, de gagner toujours plus d'argent. (Qui entraînent généralement une pression accrue sur notre environnement et une planète de plus en plus vacillante.)

• *Sampō-yoshi* : **assurer la satisfaction du commerce, du client et de l'environnement.** Tout comme les samouraïs suivaient le *bushidō* (« voie du guerrier »), les marchands de l'ère Edo respectaient leur propre code éthique. Ils avaient beau occuper le bas de l'échelle sociale, ils n'en prenaient pas moins très au sérieux leurs responsabilités envers leurs clients, leurs commerces et l'environnement social et naturel. Ils appliquaient à la lettre l'expression *sampō-yoshi*, soit « bon dans trois sens » :
- bon pour le commerce,
- bon pour les clients,
- bon pour la société.

Il me suffit de penser à l'activité de l'entreprise de ma famille maternelle pour constater la pertinence de cette approche et avoir une idée claire de son application concrète. Dans un rapport au travail digne de l'ancienne Edo, l'entreprise fabriquait des coffres en bois de paulownia. Ce bois s'assombrit avec le temps, mais un coup de peinture lui redonne sa teinte initiale. Aucun clou métallique n'entrait dans la fabrication du coffre — uniquement des boulons en bois —, l'objet pouvait donc être poncé encore et encore s'il s'abîmait ou se décolorait. Le bois de paulownia gonfle avec l'humidité, protégeant ainsi les habits ou documents placés à l'intérieur. Et même dans le cas où un incendie (ils étaient monnaie courante dans le Japon d'Edo, si densément peuplé et aux structures de bois et de papier) ravageait toute la maison, le coffre résistait au feu, noirci mais intact, et gardait son contenu en sécurité. C'était le seul et unique coffre que vous aviez besoin d'acheter.

De nos jours, beaucoup d'entreprises font une promesse similaire, du style « Ce nouveau modèle de téléphone, de tablette ou d'ordinateur est le modèle de votre vie, etc. ». Mais ces mêmes entreprises ne se privent pas pour arrêter la vente de pièces ou le support de leurs anciennes versions afin de nous pousser, voire nous forcer, à remplacer nos appareils. Le gâchis et les émissions de CO2 dues à une telle rotation des appareils entraînent de terribles conséquences environnementales[53]. Et qui en bénéficie ? Le client ? La société ? Ou seulement l'entreprise qui vend les produits ?

Certes, le *sampō-yoshi* peut sembler idéaliste. Mais de nombreuses entreprises créées pendant l'ère Edo sont toujours en activité aujourd'hui – en réalité, plus de cinquante mille entreprises japonaises ont plus de cent cinquante ans. Qui a dit que la compassion avec la nature – et les clients – n'était pas bonne pour les affaires ?

Réfléchissez à long terme – Quand la terre a tremblé à Tōhoku, peu de gens s'attendaient à autant de dégâts ou à une vague aussi puissante. Pourtant, les archives du fort de Tagajō indiquent la survenue en 869 d'un tremblement de terre et d'un tsunami de puissances similaires. Les sédiments déposés loin

---

53 D'après certaines estimations, si les entreprises technologiques étaient responsables de 1 % de l'empreinte carbone mondiale en 2007, ce chiffre devrait dépasser les 14 % d'ici à 2040.
Source : Lotfi Belkhir et Ahmed Elmeligi (2018), « Assessing ICT global emissions footprint: Trends to 2040 & recommendations », *Journal of Cleaner Production* 177, 448–463.

à l'intérieur des terres confirment ces données. Cela ne signifie absolument pas que la puissance du séisme de Tōhoku aurait pu être anticipée. En revanche, il est assez clair que nous ne pouvons pas nous contenter de compter sur nos yeux et nos oreilles, ni même sur les données recueillies au cours des cent ou cent cinquante dernières années : nous devons envisager notre place au sein du monde naturel dans le contexte de l'histoire de notre planète. En nous appuyant uniquement sur les événements survenus au cours de notre vie, nous oublions à quel point la nature est puissante.

Il arrive que les gouvernements optent pour des solutions environnementales à court terme. Malheureusement, ça a été le cas au Japon après le tsunami. Dans toute la région de Tōhoku, les habitants ont protesté contre la construction de digues de béton. Elles ont beau être − a priori − une bonne solution pour protéger les villages côtiers, les habitants ont demandé aux gouvernants d'envisager le pire scénario possible. Résultat, un séisme légèrement plus puissant ou une vague légèrement plus haute rendraient les digues parfaitement inutiles. Des solutions plus radicales comme le déplacement de grandes parties de villes ou de villages vers l'intérieur des terres coûtent davantage et exigent de plus gros changements. Pourtant elles s'avèrent les meilleures options. Certaines personnes ne se sont d'ailleurs pas privées de dénoncer l'ironie de la présence d'une digue, qui pourrait empêcher les résidents de distinguer une vague en approche : la construction censée les protéger serait donc responsable de la mort de leurs enfants ou des enfants de leurs enfants, qui ignorent l'horreur de voir toute une communauté balayée et n'ont jamais vu la nature déchaîner toute sa puissance destructrice.[54]

---

54 Voir Akahama Rock'n Roll.

Les solutions à court terme tendent parfois à nous en cacher les conséquences plus lointaines. Nous n'avons pas d'autre choix que de commencer à penser à long terme.

(En réalité, il se pourrait que le « long terme » s'avère plus court que prévu, vu les estimations de la communauté scientifique quant au peu de temps qu'il nous reste pour contrer les effets de la crise climatique actuelle.)

Quand on pense au changement climatique (bien qu'il soit le résultat de l'action humaine au cours d'un passé relativement récent), on pense trop souvent à un processus lent, glacial. Mais le peuple japonais est parfaitement conscient de ce que la planète peut décider de nous rappeler sa puissance de façon aussi soudaine que violente. Avec l'augmentation du nombre de catastrophes climatiques à l'échelle mondiale, nous ne sommes pas à l'abri de voir des êtres humains affronter des forces naturelles aussi puissantes – et potentiellement aussi meurtrières – qu'un séisme ou un tsunami : crues éclairs dans des villes côtières, sécheresses et vagues de chaleur soudaines, violents ouragans. Au Japon, nous savons la puissance de la nature. Nous devons nous assurer de réagir avec le niveau d'urgence approprié.

Rappelez-vous ce que nous risquons de perdre – Quand j'étais plus jeune, la quête d'équilibre rythmait mon quotidien. Vivre en harmonie avec la nature, c'était tout simplement être vivante.

Il est très difficile d'expliquer l'étroite relation qui unit la vie quotidienne japonaise au rythme naturel, et les ressentis, impressions et états d'esprit émanant de cette relation. En voici un aperçu.

La fête des filles a lieu le 3 mars – à cette occasion, nous célébrons l'anniversaire de toutes les filles (la tradition japonaise ne célèbre pas les anniversaires individuels). Quand j'étais petite, nous apprêtions nos poupées « Hina » de cérémonie – des poupées de l'empereur, de l'impératrice et de leur cour – et mangions des *sakura mochi* (friandises aux fleurs de cerisier), vêtues de magnifiques kimonos. Nous fabriquions aussi des poupées à partir de papier et de paille, dans l'espoir qu'elles attirent notre mauvaise fortune. Leur extrême fragilité dans nos mains ne nous empêchait pas de les placer dans de petits bateaux et de les envoyer voguer sur la rivière en agitant nos bras pour leur souhaiter bonne chance.

En avril, nous partions nous balader en ville avec mon père, après qu'il eut consulté les prévisions d'éclosion des fleurs de cerisier à la radio pour connaître le meilleur moment d'y assister.

La fête des garçons a lieu en mai, et à cette occasion, nous mangions des *kashiwa mochi* (des gâteaux de riz remplis de pâte de graines de soja et enroulés dans une feuille de chêne) et nous apprenions que les chênes ne se débarrassent de leurs feuilles qu'une fois les nouvelles feuilles prêtes à sortir. Les familles ayant des garçons accrochaient des *koi-nobori* – des cerfs-volants en forme de carpe – dans leur jardin, dans l'espoir que leurs fils deviennent aussi courageux et forts que la carpe koi qui nage contre le courant.

En juin, nous changions de tenue en prévision de la chaleur et j'aidais ma mère à aérer les kimonos.

Le 7 juillet, nous participions tous à *Tanabata*, le festival des étoiles. Nous guettions le ciel avec impatience, craignant la pluie qui empêcherait Orihime et Hikoboshi, les amants maudits, de se réunir dans la Voie lactée en ce jour précis. Nous décorions des tiges de bambou avec des bandes de papier de cinq couleurs différentes sur lesquelles nous écrivions nos vœux ou des poèmes.

Je me souviens du solstice d'hiver et du jaune qui régnait

en maître : les dernières feuilles accrochées aux branches, les décorations des supermarchés, les courges jaunes, les bains parfumés au yuzu.

Je me souviens aussi de la fin de l'année et des longues nouilles soba toutes fines, que nous mangions dans l'espoir que nos vies soient aussi longues qu'elles. Leur rupture symbolisait la fin de l'année et le début de la suivante.

Le sens le plus musical du *chō* de *chōwa* incarne cette idée d'harmonie naturelle. À mes yeux, s'efforcer de vivre en harmonie avec la nature équivaut à accorder son instrument jusqu'à retrouver la note idéale, l'accord parfait.

Je vous demande de prendre ces leçons de l'histoire japonaise très au sérieux. Le Japon a passé plus d'un siècle à apprendre de l'Occident : comment industrialiser, comment moderniser, comment participer pacifiquement à la vie de la communauté mondiale. Alors que tous les regards sont désormais tournés vers l'avenir, nous ferions bien de nous inspirer aussi du passé : de nous rappeler que les villes vertes ne sont pas qu'un rêve mais que, il y a quatre siècles, la ville durable d'Edo était la plus grande cité du monde. Qu'une civilisation entière était capable de subvenir à ses besoins en ne mangeant quasiment pas de viande. Qu'il est possible de mener une vie riche, cultivée et sophistiquée et d'autant plus enrichie que nous nous rappelons, à chaque instant de notre vie sur terre, que nous sommes nature et que la nature est nous.

LEÇON DE *CHŌWA* :
TROUVEZ L'ÉQUILIBRE AVEC LA NATURE

Dépasser la simple conscience des problèmes : pensez *mono no aware*.

Pas besoin d'être un poète haïku pour apprécier la beauté naturelle et expérimenter le *mono no aware* (empathie avec la nature). Pas non plus besoin de savoir-faire complexes – j'en veux pour preuve une des techniques japonaises ancestrales : la liste. Essayez donc. Dressez la liste des éléments naturels qui vous inspirent de la joie. Ensuite, celle des éléments qui vous inspirent de la tristesse. Et qu'en est-il de ceux qui vous embêtent ? Des guêpes ? De l'irritation du pollen au printemps ? De cette sensation de brûlure quand vous rentrez au chaud les soirs d'hiver ? La rédaction de listes et l'observation sont deux façons vivantes et merveilleuses de trouver votre équilibre avec la nature – le bon comme le mauvais[55].

Faites des affaires en harmonie avec la nature

• Comment rendre votre travail plus *sampō-yoshi* ? Quels petits changements pourriez-vous apporter à votre activité professionnelle pour garantir un produit meilleur pour le client, pour la société et pour l'entreprise ?

• En tant que consommateur, vous avez votre rôle à jouer dans le *sampō-yoshi*. Si moins de personnes succombaient aux campagnes marketing mondiales des multinationales – que ce

---

55 Pour l'inspiration, voir *Les Notes de chevet* de Sei Shōnagon, le journal d'observations d'une dame de compagnie à la cour impériale du Xᵉ siècle. Sa liste comprend les « Choses qui sont les plus belles du monde » et les « Fleurs des arbres » aussi bien que les « Choses détestables ».

soit pour une nouvelle technologie ou un nouveau vêtement –, moins de produits verraient le jour (et donc moins de gâchis, moins d'exploitation de ressources rares et un impact collectif moindre)[56].

Accordez-vous avec la nature

• Quand vous humez une magnifique fleur, écoutez le vent ou arrosez votre jardin, vous arrive-t-il d'avoir la sensation que le parfum de la fleur, le bruit du vent ou l'odeur de la terre essayent de vous dire quelque chose?

• Quand il pleut, vous êtes-vous déjà dit que la pluie vous parlait?

• Je pense à mes élèves, dont la plupart n'ont pas seize ans, et qui participent à des grèves et à des manifestations pour protester contre la politique britannique en matière de changement climatique. À mes yeux, les politiques de notre gouvernement actuel se résument à «trop peu, trop tard». En revanche, mes élèves commencent à réfléchir à long terme, à imaginer leur avenir (et celui de leurs enfants), à anticiper les périls que la nature et l'humanité risquent de devoir affronter. N'est-il pas grand temps de se demander ce que nous pouvons faire pour les aider?

---

56 Pour en savoir plus sur le *sampō-yoshi* et apprendre de la façon de vivre plus durable de l'ancienne Edo comme du Japon actuel, je vous conseille Junko Edahiro (2017), *Toward a sustainable society – learning from Japan's Edo period and contributing from Asia to the world.* https://www.ishes.org/en/aboutus/biography/writings/2017/writings_id002388.html (texte non traduit).

11

PARTAGER UN AMOUR
QUI DURE

« Le malheur peut être un pas vers le bonheur »

Proverbe japonais

J'ai été mariée deux fois et j'ai partagé ma vie avec trois partenaires à long terme. À mes yeux, mêler notre vie à celle d'une autre personne est l'un des exercices d'équilibre les plus périlleux. Cela implique de devoir conjuguer les attentes respectives et mutuelles. Nous endossons la responsabilité du bien-être de l'autre – et attendons de lui qu'il ressente la même chose et nous accorde la même attention. Mais tout cela n'empêche pas de se réveiller un matin en se demandant : « Suis-je avec la bonne personne ? Nous comprenons-nous mutuellement ? L'amour est-il censé ressembler à ça ? Est-ce toujours aussi difficile ? »

La relation amoureuse incarne l'acte de *chōwa* ultime. L'union de deux personnes, parfois diamétralement opposées. Au cours de mon premier mariage, mon partenaire avait beau parler la même langue que moi – en théorie –, il nous arrivait de ne pas nous comprendre du tout. Nous avions des priorités, des valeurs et une conception de l'harmonie maritale très différentes. Par la suite, mes deux partenaires suivants venant d'Angleterre, certains éléments se sont inévitablement perdus entre les deux langues. Trouver mon équilibre dans une relation transculturelle n'a pas toujours été évident. Au fil des années pourtant, j'ai appris à transmettre le *chōwa* aux personnes qui me sont les plus proches. Dans ce chapitre, nous allons aborder les leçons suivantes :

• **Avoir conscience des différences...** Il est parfois intimidant de révéler nos véritables pensées à une autre personne, en particulier à notre partenaire. Par crainte du conflit, il nous arrive de garder le silence et de taire ce qui nous frustre dans la relation. Mais pour véritablement accueillir les différences de l'autre, nous devons trouver le courage de partager ouvertement les nôtres – impossible de s'accepter mutuellement si nous ne sommes pas prêts à nous dévoiler. Cela implique que nous nous montrions honnêtes envers notre partenaire et nous lui révélions des choses potentiellement gênantes à notre sujet ; mais également que nous lui fassions confiance. C'est un équilibre difficile à atteindre.

• **... mais apprendre à les célébrer.** Embrassez l'acte équilibrant qu'est la relation amoureuse. La recherche d'un équilibre partagé est la raison d'être du couple, et consiste à harmoniser les opposés, pas à conforter des similarités. Quand nous envisageons le couple comme une recherche de l'équilibre en duo, nous apprenons à mieux nous compléter mutuellement.

Les plans les mieux conçus...

Si j'avais une petite idée de ce qu'était un *date* grâce aux émissions américaines, j'ai dû attendre mes seize ans pour vivre mon premier rendez-vous en chair et en os. J'ai rejoint le garçon devant la gare de Shibuya à Tokyo. Après quelques minutes de bavardage, la gêne s'est installée. Il me posait une question. Je répondais de mon mieux. Il hochait la tête. Regardait par terre. Me posait une autre question. Où était la confiance tranquille du jeune homme qui m'avait proposé de sortir avec lui trois semaines plus tôt ? Il a fini par regarder sa montre et déclarer : « Il faut qu'on y aille. » Puis il a ajouté « Ne t'inquiète pas, j'ai un plan. »

Nous avons marché jusqu'à un bistrot, où nous avons bu une tasse de café. Il a repris son enchaînement de questions un peu étranges, auxquelles je répondais de mon mieux. Nous étions à peine assis depuis quinze minutes qu'il a consulté sa montre et demandé l'addition. Nous avons pris le tramway en direction d'une rue commerçante animée d'Ayakusa. J'aurais bien aimé rester plus longtemps à déambuler entre les étals, mais après avoir de nouveau consulté sa montre, il nous a précipités vers l'étape suivante. Quand nous avons finalement atteint l'endroit où nous devions déjeuner, j'étais épuisée.

Tandis que je sirotais ma boisson, il s'est levé pour aller aux toilettes en laissant son carnet sur la table. Je n'ai pas résisté à la tentation d'y jeter un coup d'œil et j'ai découvert qu'il avait planifié toute notre journée. Il l'avait découpée en intervalles de cinq, dix et quinze minutes et avait noté des idées de sujets de conversation, de questions à me poser et même ses propres réponses. Il voulait juste que tout se passe bien, je suppose. Mais j'étais très loin de m'attendre à une organisation aussi militaire.

La joie de planifier, pour une relation *chōwa*

Comme je l'ai déjà dit plusieurs fois dans cet ouvrage, le *chōwa* exige un comportement de préparation consciente : nous devons en savoir le plus possible sur les circonstances d'une situation avant d'agir pacifiquement pour y apporter de l'équilibre.

Le problème, en matière de relation amoureuse, c'est que les périodes les plus palpitantes – lorsqu'on tombe amoureux ou qu'on profite de la présence de l'autre – sont précisément les moments où l'on ne prévoit pas tout en détail, où on laisse la place à l'imprévu (un conseil que mon petit ami de l'époque aurait bien fait de garder à l'esprit) et où l'on se laisse porter par les événements.

Quand nous discutons entre amis de l'harmonie conjugale, il nous arrive souvent de sourire. Nous savons bien que les relations amoureuses sont loin d'être toujours merveilleuses, qu'il y a quelque chose de comique à vouloir que tout soit « parfait » pour un rendez-vous. D'un autre côté, je pense qu'il est important pour nous de réfléchir, de consacrer du temps et de travailler consciemment à nos relations. (Le sujet revient sans cesse dans les émissions japonaises, avec des thèmes comme « Devrions-nous réserver une plage hebdomadaire à l'intimité conjugale ? ») Je crois que, loin de viser une harmonie idéalisée, il y a quelque chose de très rassurant dans le fait d'avoir un plan – que nous rencontrions une personne pour la première fois ou que nous essayions d'entretenir la flamme d'une relation longue.

• **Prévoir pour apaiser nos nerfs.** Qu'il s'agisse d'organiser un dîner d'anniversaire ou de dénicher l'endroit idéal pour un premier rendez-vous, programmer aide à se détendre. Dans un couple, le *chōwa* implique d'être aussi attentif que possible à l'autre personne et de faire l'effort conscient de lui donner la priorité. Planifier peut y participer grandement. Pas besoin d'en faire trop, mais s'organiser en amont apaise les nerfs et rend plus disponible pour l'amour. L'idéal restant de s'y mettre à deux, afin de se donner mutuellement la priorité tout en exprimant clairement ses préférences personnelles – un équilibre très difficile à atteindre, mais crucial dans un couple.

• **Anticiper pour bien s'entendre.** À tous les stades d'une relation, la meilleure forme de préparation que je connaisse demeure l'écoute active. S'accorder à l'humeur de notre partenaire permet d'éviter les mauvaises surprises. (Souvenez-vous de la façon dont je tendais l'oreille pour saisir les infimes variations de la fermeture de porte et du « Je suis rentrée, maman » de ma fille.) Nous devons nous entraîner à faire de même pour notre partenaire.

• **Programmer du temps pour se rapprocher.** Dans les émissions que j'ai mentionnées, les invités les plus jeunes ont tendance à se moquer des plus âgés, qui préconisent de réserver une soirée par semaine au partenaire. De nos jours, le rythme et les habitudes de vie font rarement la part belle au temps de vie conjugale. Or, prévision et spontanéité n'ont pas besoin de s'opposer : un peu d'organisation – décider ensemble d'une soirée ou d'un week-end en amoureux – crée des opportunités de spontanéité et d'aventure qui apportent un nouveau souffle à la relation.

L'origine de l'amour

Au Japon, les concepts d'amour et de relation de couple sont très différents de la vision occidentale. Ce grand écart s'explique en partie par la fermeture des frontières au XVIIe siècle, face à l'expansion colonialiste de puissances européennes comme la Grande-Bretagne, l'Espagne et la Hollande. Pendant plus de deux siècles (1633-1853), aucun Japonais n'a donc été autorisé à quitter le pays et aucun étranger à y entrer (sauf exceptions dans certains ports de commerce spécialement dédiés). Les autorités nationales s'inquiétaient particulièrement de l'évangélisation chrétienne et de la transmission de maladies comme la variole. Le concept d'amour à l'occidentale a donc attendu le XIXe siècle pour s'introduire sur le territoire nippon.

Le Japon a fermé ses frontières peu de temps après la publication des sonnets de Shakespeare et les a rouvertes après la mort de Wordsworth. C'est à cette époque que sont nées certaines idées de l'amour que les Occidentaux prennent désormais pour acquises : l'amour basé sur la préférence personnelle et l'affection mutuelle plutôt que sur les attentes sociales ; l'existence d'un partenaire unique, d'une âme-sœur que nous serions destinés à rencontrer. Je dois avouer que cette version me paraît parfois très idéaliste, voire irréaliste. J'ai toujours trouvé sa cousine nippone un peu plus terre à terre.

Les haïkus illustrent très bien la conception japonaise de l'amour. À l'image de la nature, l'amour évolue en permanence et son éclosion peut se révéler aussi furtive qu'éphémère. Les protagonistes des haïkus ont beau nous sembler étrangers – vêtus de kimonos, les cheveux ornés d'épingles *kanzashi* –, leur façon d'aimer nous demeure familière. Une femme regarde fixement son éventail, sans dire un mot. Dans un lit, un couple retient sa respiration et se touche pour la première fois la main, puis le pied. Un homme exprime sa joie de faire l'amour à sa femme à la lumière du jour. Ces sujets sont intemporels et de telles scènes pourraient dater d'hier comme de plusieurs siècles en arrière. Le *shunga* (l'art érotique de l'ère Edo) n'est pas en reste. Sur une estampe, deux amants tentent mutuellement de se déshabiller, ralentis par d'innombrables couches de kimono. Quand on les voit, on se dit que tous ces vêtements à enlever auront raison de leur désir. Et on pense à notre propre vanité. Sous ces costumes colorés, ces deux amants ne sont après tout que des êtres humains comme les autres.

Alors que la culture occidentale voit souvent l'amour comme un idéal noble, un sentiment sacré, presque intouchable, le

Japon a adopté une conception plus pratique et pragmatique du lien amoureux et conjugal – un lien dont la naissance exige du courage et la survie de gros efforts. L'amour peut s'apprécier un instant et disparaître l'instant d'après – ou consister à prendre la vie au jour le jour. Alors on a beau se dire que le Japon s'est privé de la riche tradition amoureuse occidentale, il n'empêche que le reste du monde perd à ne pas découvrir la conception japonaise unique et détachée des relations de couple et de l'amour : le sens profond du désir, de la jalousie, de la timidité ou de la perte de la personne aimée[57].

Le plus périlleux des équilibres

Nouer une relation étroite avec une autre personne est l'un des plus grands défis que l'on puisse se lancer. Dans la dernière partie de ce chapitre, je souhaite vous inciter à considérer les fondements de toute bonne relation comme une célébration des différences plutôt que comme leur uniformisation.

En cas de passage difficile, nous sommes parfois tentés de prétendre que tout va bien, aussi bien face à notre partenaire qu'à nous-mêmes. Erreur. Je vous conseille de faire preuve d'honnêteté à propos de vos émotions, car trouver l'équilibre avec une autre personne, c'est accorder autant d'importance à notre affection pour elle qu'à notre capacité à communiquer avec elle en toute franchise. C'est découvrir ce qu'elle attend de notre part, et ne pas oublier de lui dire ce que nous attendons d'elle.

---

57 Pour d'autres haïkus sur l'amour, je recommande le livre d'Alan Cummings (non traduit en français) intitulé *Haiku Love*, qui rassemble des poèmes de 1600 à nos jours. L'ouvrage est magnifiquement illustré par des images tirées de la collection des peintures et estampes japonaises du British Museum.

Comprendre les différences – Aussi difficile à accepter que cela vous paraisse, votre partenaire et vous êtes deux personnes différentes.

Le *chōwa* nous enseigne que toute bonne relation s'appuie sur d'efficaces recherches préalables (ne vous fiez pas à l'aspect méticuleux de l'opération). D'après mon expérience, pour vivre en harmonie, il faut commencer par bien s'entendre. Certes, il existera toujours des différences entre vous et votre partenaire, mais il est primordial de trouver une personne avec qui vous partagez suffisamment pour pouvoir bâtir ensemble une vie heureuse et confortable. J'aurais aimé qu'on me le dise plus tôt. J'ai appris cette leçon à la dure.

Que vous vous fréquentiez depuis un mois ou dix ans, certaines différences entre votre partenaire et vous seront impossibles à « corriger » ou à changer. Dans une certaine mesure, nous devons accepter notre partenaire pour qui il ou elle est : la façon dont son éducation, ses amitiés et ses expériences l'ont façonné (y compris ses relations amoureuses passées). Ce n'est pas toujours facile. Il arrive qu'on entende de sa part des paroles auxquelles on ne s'attendait pas – tout du moins pas quand on l'a rencontré, quand tout était si transparent, si simple. Mais ce voyage peut aussi réserver beaucoup de bonnes surprises. Essayer de nous accorder avec notre partenaire, de lui parler des événements qui l'ont façonné, de ses craintes, de ses désirs et de ses passions permet de créer l'énergie qui fait fonctionner le couple. Quand les deux personnes font l'effort conscient de comprendre leurs différences, leurs liens ne peuvent que s'en resserrer davantage.

Célébrer la différence – Pensez au *wa* de *chōwa*, à la pacification active. Célébrer les différences dans la relation ne signifie pas faire des compromis (en s'accordant sur quelque chose dont aucun des deux partenaires n'a vraiment envie), mais plutôt apprécier et savourer la tension entre deux opinions, deux forces, deux personnalités.

Célébrer vos différences passe par de tout petits actes, comme apprendre à distinguer et aimer la quête de l'équilibre dans chaque échange, aller là où les petits désaccords – voire les grosses disputes – vous mènent et accepter les idées bien arrêtées de l'un et de l'autre. Vous n'avez pas besoin d'être toujours d'accord. Vous pouvez très bien tomber d'accord sur le fait que vous n'êtes pas d'accord.

Faites passer l'autre personne en premier – Le *chōwa* est une quête active de l'équilibre – nous devons y travailler en permanence et rester à l'affût des problèmes. Le terme « prendre soin » de quelqu'un peut sembler un peu mièvre, voire passif... or c'est un verbe d'action. Nous devons « prendre soin » de l'autre activement, via nos paroles, notre attention, nos façons d'être ensemble à la maison et de rester en contact en cas d'éloignement.

Vous n'avez pas besoin de dire «je t'aime» – Nous n'avons pas vraiment d'expression pour dire « je t'aime » en japonais. Le verbe « aimer » (*aishiteiru*) existe, mais il est assez peu naturel dans ce contexte.

ai

La noblesse du caractère *ai* (il exprime également *ai-koku*, l'amour du pays) le rend un peu trop sérieux aux yeux de la plupart des Japonais. Les seules personnes qui l'utilisent sont donc généralement en pleine demande en mariage (ou à tendance très mélodramatique). À mon avis, une des raisons pour lesquelles les Japonais rechignent tant à dire « je t'aime » est qu'ils estiment que l'amour doit s'exprimer par des actes et non par des paroles.

La préoccupation des jeunes Japonaises, comme des jeunes Occidentales, n'est pas « d'aimer » le plus beau garçon de la classe, mais de « l'apprécier » ou non. Or en japonais, ce terme « apprécier » (*suki*) pare à toutes les éventualités. C'est le terme « apprécier » qu'on utilise quand un garçon de notre classe nous plaît, mais aussi après un deuxième rendez-vous fantastique. Et surtout, c'est le terme « apprécier » qu'on peut utiliser pour la personne avec laquelle on vit depuis dix ans : *suki desu*, « Je t'apprécie énormément ».

Dans cette façon d'exprimer à quel point nous aimons une autre personne, il y a un côté très direct que nous, les adultes, gagnerions à réintégrer à nos relations. Si vous cherchez une histoire d'amour ou une relation amoureuse, au lieu des montagnes russes de l'amour, le vrai, le seul, pourquoi ne pas commencer par vous demander si vous appréciez vraiment la prochaine personne à laquelle vous décidez de donner rendez-vous ? Si vous êtes déjà en couple, accordez-vous le temps de réfléchir à ce que vous aimez vraiment chez la personne avec laquelle vous êtes. Et faites-le-lui savoir.

suki

Comme dans *anata ga dai suki desu*
(« je t'apprécie énormément »)

Et puis il y a le mot « amour », qui s'écrit *ra-bu*. Vous noterez qu'ici l'écriture est plus angulaire, car il s'agit du script réservé aux termes empruntés à l'anglais. *Ra-bu* (ou « love ») sert généralement à évoquer le concept occidental de l'amour. On le voit imprimé sur des tee-shirts, on en discute dans les romans contemporains et les articles de journaux, et les adolescents ne se lassent pas d'en parler, eux qui ont vu assez de films occidentaux pour savoir ce dont il retourne (ou tout du moins autant que nous tous).

ラブ

ra-bu

« Love » comme dans *ra-bu hoteru* (love hotel)

Les « love hotels » sont une forme populaire d'hébergement à court terme qui offre aux couples l'occasion de passer du temps ensemble (sans avoir à s'inquiéter de la finesse des murs de papier d'une maison traditionnelle). Les couples peuvent y passer la nuit, ou juste quelques heures. Les chambres sont de très simples à luxueuses, et certains établissements mettent à disposition jacuzzi, décors fantastiques et matériels permettant d'assouvir fantasmes et excentricités en tous genres. Dans ces espaces, les couples s'évadent en toute sécurité de leur quotidien et insufflent un petit côté excitant et secret, voire aventureux, à leur relation.

Quand quelque chose ne va pas, dites-le à votre partenaire – Une des différences culturelles entre les femmes du Japon et celles du Royaume-Uni est l'incapacité des Japonaises à exprimer leurs envies et leurs attentes dans le couple. Dans un esprit *chōwa* – se renseigner avant de faire notre possible pour agir, répondre aux autres avec générosité –, nous devons connaître notre partenaire en profondeur si nous voulons avoir une chance de régler les problèmes qui surviennent. Mais il incombe à chaque personne d'exprimer clairement ce dont elle a besoin. *Dans un couple, exprimer clairement nos pensées (et surtout, ne pas ignorer nos besoins) est le meilleur chemin vers l'harmonie.*

Qu'il s'agisse d'une relation courte ou longue, le risque est grand de se retrouver à tenir des comptes dans notre tête, à soupeser les disparités entre la situation présente et ce dont on a vraiment besoin. On se dit que *x* ne nous embête pas, qu'on peut supporter *y* et que l'habitude *z* de notre partenaire ne nous pose pas de problème, parce qu'on l'aime. Croyez-moi, les petites choses s'accumulent et je les vois blesser mes amies japonaises plus que mes amies anglaises, qui disent tout haut ce qu'elles pensent. Sourire et prétendre que tout va bien ne vous mènera pas au *chōwa* comme par magie. Se voiler la face ne permet de trouver l'équilibre ni avec soi-même, ni avec une autre personne.

N'ayez pas peur de demander ce dont vous avez besoin... Dans un couple, il n'est pas rare que la quête de l'équilibre nous pousse à demander des choses que l'autre aura peut-être du mal à donner : plus d'honnêteté, d'intimité, de tendresse, d'espace, etc.

... mais soyez réaliste – Le *chōwa* requiert que l'on reste en accord avec la réalité, avec les personnes qui nous entourent. Peut-être exigez-vous trop de votre couple. Dans un monde où nous sommes en permanence bombardés d'images d'hommes et de femmes aux apparences parfaites, difficile d'échapper au porno et à ses attentes sexuelles irréelles, ou à cette culture centrée sur des canons de beauté impossibles à atteindre dans la vie de tous les jours. Si vous comparez votre partenaire à un fantasme, il y a de grandes chances qu'il ou elle ne soit jamais à la hauteur.

Il n'est jamais trop tard pour trouver la bonne personne – En y repensant, à vivre avec le *chōwa* à l'esprit, j'ai fini par adopter un point de vue assez sceptique sur le « destin » et la « chance ». Au Japon, on dit parfois « *Un ga ii* ». *Un* signifie destin. « *Un ga ii* » signifie littéralement « Quand le destin est bon » ou « J'ai de la chance ». Il est vrai que les choses se déroulent parfois mieux que prévu. Mais l'harmonie vous tombe rarement sur le coin du nez par hasard. Vous ne pouvez pas rester passif, il faut utiliser vos sens. Sortez et impliquez-vous dans votre propre vie. Cela me rappelle une expression anglaise que j'aime beaucoup, « You make your own luck » (chacun crée sa propre chance). Je trouve qu'il y a du vrai là-dedans, surtout en matière d'amour.

Et en même temps, la bonne fortune ne dépend pas uniquement de nos propres efforts ; elle dépend aussi beaucoup des autres. Je n'aurais jamais essayé les sites de rencontre en ligne sans les encouragements de ma fille. C'est elle qui a créé mon profil et m'a poussée à me lancer. Quand j'ai commencé à discuter avec Richard, l'homme qui allait devenir mon époux, nous nous sommes mutuellement avoué que nous n'avions pas eu beaucoup de chance sur ce genre de sites. Nous en avions tous deux marre de devoir coller aux attentes des autres. Nous sommes convenus de nous rencontrer.

Je suis arrivée dans un kimono éclatant. Même dans une ville aussi multiculturelle que Londres, longer la Tamise dans une telle tenue attire les regards. C'était un bon moyen de briser la glace. Dans un sens, c'était aussi un excellent test, et Richard semblait plutôt content d'être vu en compagnie d'une Japonaise et de son magnifique kimono.

Nous étions convenus de nous retrouver près du fleuve et de déjeuner ensemble, mais nous avons fait traîner nos verres jusque tard dans l'après-midi. Puis les verres se sont transformés en dîner. La soirée était bien avancée quand nous nous sommes résolus à quitter le pub et à nous séparer. Nous étions tous les deux ravis de cette journée. Je suis rentrée sans vraiment savoir ce qui m'attendait, mais pleine d'espoir et d'optimisme pour notre prochaine rencontre.

Nous célébrons chaque année notre anniversaire dans le même pub. Je repense à l'expression *un ga ii* (« c'était le destin »). Je pense au *chōwa*, à l'univers organisé dans une sorte d'harmonie. Richard et moi ne nous serions jamais rencontrés sans les expériences qui nous ont façonnés. Je n'aurais jamais rencontré Richard si ma fille n'avait pas décidé de me créer ce profil sur un site de rencontre.

LEÇON DE *CHŌWA* :
PARTAGER
UN AMOUR DURABLE

Si vous cherchez une personne à aimer

Partager votre quête de l'équilibre avec une autre personne est l'un des plus grands bonheurs de la vie, alors lancez-vous et trouvez cette personne si spéciale à vos yeux. Ce qui est derrière vous est derrière vous. Vous n'êtes plus la personne qui a vécu vos précédentes relations. Pensez à tout ce que vous avez appris – même aux leçons les plus chèrement acquises. Pensez à ce que vous pourrez apprendre à une autre personne et à ce qu'elle pourra apprendre de vous. Il n'est jamais trop tard pour trouver la bonne personne.

Si vous l'avez déjà rencontrée
Si vous l'avez déjà rencontrée, dites-lui ce que vous ressentez. Pas besoin de « Je t'aime », vous pouvez utiliser d'autres mots et d'autres façons de lui exprimer ce qu'elle représente à vos yeux. Ou encore mieux, montrez-le-lui ! Pourquoi ne pas faire des plans ensemble – prévoir des vacances, vous lancer dans une nouvelle activité – ou partager quelque chose (un secret, un petit plaisir coupable, une histoire) que vous avez toujours voulu partager ?

12

CHÉRIR CHAQUE RENCONTRE

« Les nuages passent comme l'eau. »

Proverbe zen traditionnel

J'ai quitté le Japon il y a vingt-cinq ans. Quand j'y retourne, je ne manque pas de rendre visite à mon professeur de cérémonie du thé, Toshiko-sensei. Quelle que soit la raison de ma présence – un mariage, une fête ou des funérailles –, pénétrer dans la maison du thé et pratiquer cet art vieux de quatre cents ans m'offre l'occasion de faire un point, de trouver mon équilibre, peu importe mon état d'esprit initial. Je renoue ainsi avec mes racines : chaque petit geste, chaque action soignée sont un morceau d'histoire vivante. La cérémonie du thé nous rappelle que le présent est en constante évolution. D'accord, certains éléments ne changent jamais : le nettoyage des ustensiles, le fouettage de la poudre de thé matcha, le soleil à travers les fenêtres des *shōji*. Mais peut-être l'une des lamelles du fouet sera-t-elle cette fois un peu tordue. L'amertume du thé légèrement plus prononcée. Et bien évidemment, la lumière du soleil à travers le papier sera différente de lors de notre dernière rencontre.

La tranquillité de l'esprit, la pureté de l'attention que nous entretenons au cours de la cérémonie ne sont pas réservées à ce moment unique : nous sommes encouragés à transposer notre pratique dans le monde, car l'art du thé se mêle étroitement à celui de la vie. Par la présentation des principes de l'art du thé qui va suivre, je souhaite résumer les leçons de *chōwa* de ce livre et partager avec vous mes dernières pensées ainsi que quelques pistes pour que vous emportiez le *chōwa* partout avec vous.

• **Rappelez-vous la valeur de la gentillesse, de l'équilibre et de la bonne compagnie.** La cérémonie du thé enseigne l'importance d'aborder chaque rencontre (amicale, familiale ou professionnelle) avec le *chōwa* à l'esprit. Les principes mêmes de la cérémonie font écho aux leçons du *chōwa* – veiller à l'équilibre délicat de chaque rencontre, se soucier des plus petits éléments dans un esprit zéro déchet, réfléchir à la meilleure façon de servir les autres – et, loin de ne constituer que des démonstrations d'altruisme, s'entremêlent à notre sens de l'harmonie personnelle.

• **Instant unique, rencontre unique.** L'harmonie n'est pas un lointain idéal. C'est la somme de tout ce qui nous a amenés à cet instant précis, à cette action, en telle compagnie, pour telle occasion – que nous soyons réunis pour des festivités ou pour pleurer une personne disparue. La cérémonie est l'incarnation raffinée de cet enseignement central du *chōwa* : nous ne pouvons compter que sur l'instant et les personnes présentes.

L'art de la cérémonie du thé

En réalité, la cérémonie du thé est d'une simplicité surprenante. D'abord, un feu de charbon de bois pour faire bouillir l'eau. Puis le nettoyage doux et naturel des ustensiles. Le délicat sifflement de la bouilloire japonaise. L'eau chaude versée dans la tasse à l'aide d'une louche en bambou. Le doux son produit par le maître qui bat la poudre de thé matcha avec un fouet en bambou.

La longévité de la cérémonie du thé va de pair avec le traitement des ustensiles eux-mêmes − et le respect de quelques principes philosophiques par les élèves aussi bien que par les maîtres. Ce sont ces principes qui font de cet art ancestral une représentation vivante du *chōwa*.

Wa, kei, sei, jyaku (harmonie, respect, pureté et tranquillité)

Tandis que j'écris ces mots, je contemple une œuvre de calligraphie japonaise accrochée au mur de mon bureau. Sur ce morceau de papier fabriqué à la main, trois des quatre caractères ont été dessinés au pinceau et à l'encre noire par un ami et talentueux adepte du *shodō*, l'art de la calligraphie. J'ai tracé moi-même le premier caractère, le *wa* (le même que dans *chōwa*).

和	敬	清	寂
wa	*kei*	*sei*	*jyaku*

Wa, kei, sei et *jyaku* sont les quatre préceptes du thé. Chacun en illustre un principe et un objectif.

Wa (harmonie)
Kei (respect)
Sei (pureté)
Jyaku (tranquillité)[58]

---

58 Pour de plus amples explications (en anglais) sur la cérémonie du thé japonaise, rendez-vous sur le site Chanoyu : http://www.chanoyu.com/WaKeiSeiJaku.html

Dans ce chapitre, je vous demande de vous joindre à moi pour une visite de la maison de mon professeur. Le déroulement de la cérémonie vous éclairera sur ce que les principes du thé révèlent du *chōwa*. Tout comme les élèves sont capables d'absorber et d'exécuter les leçons de la cérémonie en dehors de la maison de thé, nous allons réfléchir aux moyens d'emporter le *chōwa* partout avec nous, de le sortir des pages de ce livre pour le propager dans nos réalités quotidiennes.

Aux abords de la maison de thé

Vous et moi marchons dans le jardin de mon professeur, Toshiko-sensei. Un ruisseau serpente paisiblement avant de se jeter dans une petite mare. Un ou deux tas de feuilles témoignent des endroits où l'herbe a été ratissée. Des feuilles flottent à la surface de la mare. Nous nous lavons les mains dans le ruisseau, puis buvons quelques gorgées d'eau fraîche à l'aide d'une louche en bois, le *hishaku*. Nous rinçons ensuite celle-ci pour les prochains invités en prenant une louche d'eau fraîche et en l'inclinant de façon à faire ruisseler l'eau le long du manche. Se laver les mains et se rincer la bouche à l'eau sont des rites de purification symboliques, qui nous préparent à pénétrer dans un lieu hors du commun.

Pour rejoindre la maison principale, il faut suivre un chemin de pierres inégales (aussi appelées « pas japonais »), assez brutes et éloignées les unes des autres pour mettre votre équilibre en péril. Vous gardez les yeux rivés sur les pierres, leurs aspérités et les taches de mousse glissante, et avancez avec précaution.

Wa – l'harmonie entre l'hôte et les invités

Dans le contexte de la cérémonie du thé, *wa* correspond à l'harmonie entre l'hôte et ses invités. Le *wa* est l'engagement du professeur et de ses élèves à se préparer soigneusement pour ce moment. Dans le plus pur esprit du *chōwa*, la préparation et la recherche préalable sont les clés d'une rencontre réussie et harmonieuse autour du thé.

Pour mon professeur, la préparation commence des semaines à l'avance. Toshiko-sensei envoie les invitations, change le papier de ses panneaux *shōji* et se renseigne sur ses invités afin d'effectuer les présentations. Elle s'assure de bien nettoyer le jardin et, le matin de la cérémonie, prépare un repas *kaiseki* pour toute l'assemblée avec l'aide du personnel de cuisine spécialement dédié à sa maison de thé. Elle s'assure aussi d'être parée à toute surprise (elle conserve tout un ensemble d'accessoires de rechange au cas où l'un de nous aurait oublié les siens). Le tout, sans jamais se départir de son sourire. Je suis toujours frappée par la gentillesse de Toshiko-sensei. Si sa réputation dans le monde du thé suffit à la rendre très intimidante, en particulier pour les nouveaux arrivants, son sourire met tout le monde à l'aise.

Bien évidemment, nous, les invitées, nous assurons de nous préparer tout aussi soigneusement de notre côté. Nous vérifions que notre kimono est approprié à l'occasion, consultons un guide pour être certaines de nouer correctement notre *obi* et nous lavons les mains et la bouche dans le jardin. Par ce geste, nous mettons de côté (du moins pour ce court instant) toutes les pensées du monde matériel, de l'univers, en dehors de la maison de thé.

Wa – l'harmonie dans la maison de thé

Les gens me demandent souvent si cette obligation de perfection n'est pas stressante. Honnêtement, pas du tout. C'est comme apprendre une chorégraphie, ou monter sur scène. Notre façon de bouger, le genre de sujet dont nous pouvons parler, tout cela a été décidé il y a quatre cents ans par Sen no Rikyū, le maître du thé. Nous essayons d'exécuter exactement les mêmes gestes qu'à l'époque, au centimètre près. La cérémonie du thé nous permet de nous couper du monde moderne, de remonter le temps pour découvrir le sens de la sophistication, de l'éducation et de la conversation d'une autre culture. Comme une troupe de théâtre, nous apprécions de faire partie intégrante d'un ensemble et de nous impliquer dans une action collective. Nous nous efforçons de donner la représentation parfaite.

Avant de débuter la dégustation du thé à proprement parler, le professeur nous présente un plateau de pâtisseries traditionnelles. En réalité, ce sont ces délicieuses petites friandises – les *wagashi*, habituellement préparées à partir de pâte de haricot – qui m'ont d'abord attirée. Leur douceur provient des fruits et d'un léger voile de sucre. La cérémonie du thé a généralement lieu après un repas, et ces pâtisseries font office de dessert. Une fois les *wagashi* dégustées, la cérémonie peut commencer.

L'esprit *chōwa* : partir du bon pied grâce à une préparation et à des recherches en amont – La cérémonie du thé requiert un équipement spécial, mais ses exigences en matière de tenue – appropriée au lieu, au moment et à l'occasion – et de préparation (même au pire) s'appliquent aussi à la vie quotidienne.

L'esprit *chōwa* : cultiver un état d'esprit calme et centré – La meilleure préparation pour la cérémonie du thé consiste à prendre le temps de trouver un lieu de concentration et d'équilibre dans notre esprit. C'est le meilleur cadeau que nous puissions ensuite transmettre au monde extérieur : qu'il s'agisse de passer plus de temps en famille, de bien traiter nos collègues et nos clients au travail, d'apprendre de nouvelles choses ou d'aider les autres, la pratique du chōwa naît de cet état d'esprit calme – et s'en nourrit.

Kei – le respect des ustensiles

Le respect et le soin accordés à chaque objet utilisé au cours de la cérémonie contribuent à la création d'une atmosphère harmonieuse. Qu'importe sa vieillesse ou sa nouveauté, nous traitons avec équité chaque élément présent dans la pièce. Dans un sens, leur nettoyage revêt autant d'importance que la dégustation du thé elle-même. Voici les ustensiles utilisés pendant la cérémonie :

- le *natsume* (récipient pour le thé),
- la poudre de thé matcha,
- le *chawan* (bol à thé),
- la louche en bambou pour servir le thé,
- le bâton de bambou pour déposer la poudre de matcha dans les tasses,
- le *chasen* (fouet en bambou pour remuer le thé),
- le *fukusa* (magnifique tissu servant à garder ces objets propres).

Une fois que nous sommes toutes assises, Toshiko-sensei nous salue et commence à nettoyer les ustensiles à l'aide du *fukusa* : d'abord le *natsume* (le récipient), puis le *chawan* (le bol à thé), puis le *chasen* (le fouet). Quand elle nettoie le fouet, Toshiko-sensei verse une louche d'eau chaude dans le bol à thé, soulève le fouet avec sa main droite et le trempe dans l'eau. Puis elle le soulève pour en inspecter chaque lamelle. (La chaleur permet de ramollir les lamelles et leur évite de casser pendant la mouture du thé matcha.)

L'esprit _chōwa_ : traiter les objets que nous possédons de façon mottainai – Trouver l'équilibre ne consiste pas à se payer un espace de vie « harmonieux » ou à acheter le prochain gadget qui nous fera économiser trente secondes de tâches quotidiennes : il s'agit de traiter nos affaires avec le respect qu'elles méritent. Notre rapport aux objets procède d'un équilibre délicat : nous devons comprendre comment les servir au mieux afin qu'ils puissent nous servir en retour. Adoptez un esprit _mottainai_ (ambiance zéro-déchet). Réfléchissez soigneusement à ce dont vous avez besoin ou non. Utilisez vos affaires aussi longtemps que possible, réparez et recyclez quand vous le pouvez

Kei – le respect de chacun

Imaginez que vous êtes assis en tailleur sur le tatami d'une maison de thé, en ma compagnie et celle de trois autres élèves. Nous occupons un angle de la pièce, face à Toshiko-sensei, assise à l'opposé en train de préparer le thé. Toshiko-sensei vous présente aux autres participants comme mon élève. Elle vous souhaite chaleureusement la bienvenue. Vous saluez. Tandis que vous vous inclinez, vous remarquez que mon éventail est posé sur le sol devant moi, et que mes mains se trouvent juste devant lui. Cette utilisation de l'éventail illustre parfaitement la quête d'équilibre qui sous-tend la cérémonie du thé. Nous respectons l'harmonie du groupe tout autant que l'espace privé et personnel de chacun.

Tout le monde se réunit pour les mêmes raisons – discuter de l'art et de la vie, exprimer son respect envers cette cérémonie ancestrale et profiter de la compagnie des autres. Les présentations sont concises mais pertinentes. Quand elle me présentera, il se peut que Toshiko-sensei évoque mon travail caritatif. Si les autres élèves veulent me parler de mon association, ils pourront le faire ensuite. Mais il n'y a pas de pression ni d'obligation pour ceux qui n'en ressentent pas l'envie.

On ne bavarde pas dans la salle du thé. C'est un endroit où l'on admire l'art présent sur les murs, où l'on apprécie la saveur du thé traditionnel et la vaisselle dans laquelle on le boit.

L'élève le plus ancien reçoit le thé en premier, puis passe le *chawan* à l'assemblée.

Le *chōwa* naît des petits gestes accomplis pour créer une atmosphère de respect mutuel – Prenez le temps d'écouter activement les autres. Concentrez-vous pour accorder votre attention à leurs paroles plutôt qu'à votre réponse. Essayez de ne pas gâcher trop d'énergie dans des émotions comme la colère et la frustration, ou des sentiments comme la honte ou l'impression d'échec. Sachez que ces sentiments surviendront, mais sachez aussi que, comme tout le reste, ils disparaîtront.

Sei (la pureté) – l'appréciation de l'art et de la beauté naturelle

Dans l'art du thé, la pureté, ou *sei*, se réfère davantage à la beauté naturelle qu'à la propreté, et inclut donc l'appréciation de toutes les formes artistiques présentes dans la pièce. Cela comprend aussi bien les estampes représentant des scènes naturelles et la calligraphie accrochées aux murs, que la vaisselle servant à la cérémonie en elle-même et la fluidité de nos propres mouvements au cours de la cérémonie.

Certains admirent les œuvres d'art – estampes de montagnes ou de cascades. D'autres préfèrent la calligraphie, qui exprime souvent un *zengo* ou « proverbe zen ». Je vous en ai déjà présenté quelques-uns dans ce livre, comme « *shōyoku, chi-shoku* » (petits désirs, grande satisfaction) et « *kō-un-ryū-sui* », (*les nuages passent comme l'eau*, le *zengo* qui ouvre ce chapitre).

La qualité de la calligraphie dépend en grande partie de son trait. Autrefois, on disait que la façon dont un guerrier tirait son épée indiquait quel genre de personne il était. C'est la même chose pour la calligraphie : votre maniement du pinceau en révèle beaucoup sur votre personnalité. D'ailleurs, contempler la calligraphie d'une grande personnalité du passé – d'un samouraï, d'un artiste martial, d'un acteur ou d'un politique – est à la fois passionnant et très révélateur. Un peu comme quand on relit la lettre d'un ami d'enfance et qu'on remarque l'écriture tantôt soignée – peut-être pour annoncer une mauvaise nouvelle – tantôt griffonnée à la va-vite. Contempler une calligraphie ancienne donne la sensation de recevoir une lettre qui nous aurait été personnellement adressée plusieurs siècles auparavant.

Pour en apprendre davantage sur la calligraphie, les œuvres d'art aux murs, l'arrangement floral de la pièce ou même les poteries (la vaisselle utilisée pour la cérémonie du thé est souvent ancienne), il est d'usage de poser des questions très simples : quel est le nom de ce thé ? Pouvez-vous nous en dire plus sur les fleurs d'aujourd'hui ? Quelle est l'histoire de ce vase ?

La qualité de *sei* est primordiale. Il n'y a pas d'éclairage électrique. La paille des tatamis diffuse son léger parfum, les kimonos affichent leurs motifs floraux. La lumière de la pièce provient uniquement du soleil qui filtre à travers les panneaux *shōji*. Les seuls sons émanent de la vieille bouilloire sur le feu de charbon et de la nature – les pépiements des oiseaux, le chant des cigales.

Le *chōwa*, ou aller dans le sens de la nature – Notre équilibre dans l'univers dépend de notre capacité à apprécier les vérités les plus simples : nous faisons partie de la nature. La vie implique la souffrance. Les choses les plus minuscules sont dignes d'émerveillement et peuvent avoir une valeur inestimable.

Jyaku – (la tranquillité)

Le mot *jyaku* signifie tranquillité. C'est le même caractère que *sabi* dans *wabi-sabi*. Peut-être le concept français de « tranquillité » masque-t-il certaines complexités de ce caractère, qui ne se limite pas à la sensation qui vous envahit quand vous observez la sérénité du jardin de Toshiko-sensei à l'automne, mais désigne aussi le sentiment de solitude et de mélancolie qui l'accompagne. C'est un sens de l'esthétique : le genre de sensation qui vous submerge quand vous regardez un vieux bol à thé *chawan* en sachant que, de toutes les personnes y ayant trempé les lèvres, beaucoup ne sont plus de ce monde. C'est une autre de ces délicates associations *chōwa*. À la fois beauté et tristesse.

La tranquillité procurée par la cérémonie du thé est très similaire à l'impression de *mono no aware* – la conscience que tout passe. Que rien n'est éternel. Nous devons apprendre à apprécier ce que nous avons aujourd'hui, et à nous réjouir du bonheur des autres. Comme à nous, le temps leur est compté. Nous sirotons notre thé dans le calme et profitons du fait d'être ensemble, tout en laissant cette vérité et la tranquillité nous envahir.

Comme la tranquillité, le *chōwa* n'est pas un but en soi – La calligraphie sur le mur de mon bureau – *wa kei sei jyaku* – a la forme d'un carré. Cela suppose une (ou plusieurs) rupture(s) de trajectoire. En effet, atteindre un état d'immobilité spirituelle – le *jyaku* ou la tranquillité – n'est pas l'aboutissement de la pratique. C'est simplement le meilleur état d'esprit pour commencer à appliquer le reste des principes : *wa, kei* et *sei*.

C'est pareil pour le *chōwa*. J'espère que vous l'avez compris, le *chōwa* n'est pas une fin en soi. Bien que l'objectif de ce livre consiste à « trouver l'équilibre », cet équilibre n'est pas la fin du voyage, simplement l'état d'esprit le plus adapté pour apprendre à répondre généreusement à nous-mêmes, à être de meilleure compagnie pour les autres et à diffuser un esprit de pacification active dans notre société.

On ne s'arrête jamais de pratiquer le *chōwa* – l'équilibre n'est jamais qu'un geste équilibrant.

Le moment est venu de vous présenter un dernier *zengo*.

一期一会

ichi-go, ichi-e
ichi signifie « un »
ichi-go signifie « un instant »
ichi-e signifie « une rencontre »

Dans votre vie, cet instant, cette rencontre, n'arrivera qu'une fois. Une seule. Cette petite expression nous encourage à apprécier chaque moment comme il vient.

Où lisez-vous ce livre ? Quelles autres pensées vous traversent l'esprit à la lecture de ces mots ? Que vous inspire ma voix au fil de ces pages ? Visualisez cet instant, où que vous soyez, quoi que vous soyez en train de faire à côté. Ce moment – cet instant, vous et moi arrivant à ce point de notre conversation – ne se reproduira plus jamais. Nous ne nous rencontrons ici que pour mieux nous séparer et continuer nos chemins.

Ainsi va la cérémonie du thé. Aujourd'hui, nous sommes assises avec Toshiko-sensei dans la salle de thé de sa maison. Les ustensiles que nous utilisons sont vieux de plusieurs siècles et ont servi à des milliers de cérémonies similaires. Mais cette rencontre, ici et maintenant, ne s'est jamais produite auparavant. Une fois que nous quitterons la salle du thé, elle disparaîtra à jamais.

Il ne s'agit pas d'y songer en permanence. Toutefois, *ichi-go, ichi-e* – un instant, une rencontre – nous rappelle l'importance de pratiquer le *chōwa*, et de vivre en harmonie avec les autres.

La prochaine fois que vous sortez entre amis, sondez votre état d'esprit. Si vous avez bu de l'alcool, comment vous sentez-vous après avoir bu de la bière ou du vin ? Comment vous sentez-vous après avoir passé du temps avec certains amis ? Qu'en est-il de cette sensation de lourdeur qui vous envahit quand certaines personnes sont absentes ? Que vous voyiez vos amis souvent ou rarement, envisager chaque rencontre dans un esprit « *ichi-go, ichi-ye* » vous aidera à percevoir l'équilibre unique de chaque rencontre. Et à le chérir.

Vie et mort

On ne sait pas de quoi demain sera fait. Au temps des samouraïs, la cérémonie se pratiquait avec la conscience que toute personne présente dans l'assemblée (les samouraïs en particulier) pouvait quitter la pièce pour ne plus jamais revenir. Les samouraïs n'étaient pas autorisés à porter leur épée dans la salle du thé. Ils la déposaient à un endroit dédié sur le mur extérieur et la récupéraient après la cérémonie. Peut-être partaient-ils se battre dans une province éloignée, peut-être n'en reviendraient-ils pas et ne reverraient-ils jamais les personnes avec lesquelles ils avaient bu le thé ce jour-là.

Les pertes sont riches en enseignements sur notre fragilité, en tant qu'individus et en tant que sociétés. Tout au long de cet ouvrage, nous avons vu comment le *chōwa* nous aide à bien agir en toutes circonstances. Mais lorsqu'il s'agit de deuil, peu importe notre degré de préparation ou de recherches préalables, il n'existe pas de réponse appropriée ni d'acte permettant de compenser l'absence.

Lorsqu'on perd une personne proche, il est parfaitement naturel de se sentir au fond du trou et d'avoir le sentiment qu'on ne pourra plus jamais se relever.

Mais le *chōwa* nous rappelle qu'en période de tristesse, les gens se réunissent. Il nous enseigne que ce sont les personnes survivantes qui importent, et que nous devons nous aider mutuellement à nous relever.

La mort de Sen no Rikyū

Sen no Rikyū vit le jour en 1522 au sein d'une famille ordinaire de la classe moyenne japonaise. Plutôt que de suivre son père dans les affaires, il opta pour la voie spirituelle et son étude du bouddhisme zen l'amena à s'intéresser de près au thé. À cette époque, le faste des maisons de thé réfléchissait la richesse personnelle et le statut social de leurs commanditaires. L'influence de Sen no Rikyū ne tarderait pas à venir chambouler cette habitude.

Le plus puissant seigneur samouraï de l'époque s'appelait Toyotomi Hideyoshi (1537-1598) et se présentait comme un grand adepte de thé et admirateur de Sen no Rikyū. Aveuglé par le pouvoir de l'or, Hideyoshi commanda plusieurs « salles de thé dorées », ce qui n'était pas pour plaire au maître du thé. Néanmoins, ce dernier accepta de lui enseigner la cérémonie. Malheureusement, la réputation de Sen no Rikyū ne cessait de croître et Hideyoshi se prit à jalouser son professeur. Son respect se mua en crainte. Il finit par lui présenter un terrible dilemme : mourir assassiné ou sauver son honneur en mourant de sa propre épée. Sen no Rikyū opta pour le suicide rituel.

Avant sa mort, il prit ses dispositions et organisa ses funérailles. Il rassembla ses étudiants préférés pour la dernière fois. Ils mangèrent, lurent de la poésie et partagèrent la cérémonie du thé en sachant qu'ils ne pourraient plus jamais profiter de la compagnie de leur maître. En se préparant pour sa mort, Sen no Rikyū s'assura de la transmission de tout son savoir et de la survie de son art.

Quand nous célébrons le thé, nous nous remémorons avec tristesse la mort de Sen no Rikyū. Elle nous permet de saisir la bêtise de la puissance, la cruauté du pouvoir et l'injustice dont a souffert cet homme bon et sensible. Mais nous contemplons aussi son honorable mort et la bienveillance avec laquelle il a approché la fin de sa vie. Difficile de ne pas admirer sa force d'esprit et le courage avec lequel ce maître du thé a rencontré son destin.

Il n'y a pas longtemps, je me suis rendue en pèlerinage sur sa tombe. Le lieu était calme et paisible, mais j'étais loin d'être seule. À ma grande surprise, de nombreuses personnes prenaient le temps, comme moi, de ratisser les feuilles et de nettoyer sa pierre tombale, de marcher dans le cimetière et de réfléchir. J'ai trouvé merveilleux que, plus de quatre cents ans plus tard, ceux d'entre nous qui perpétuent l'art de la cérémonie du thé continuent à venir témoigner leur reconnaissance à celui qui fut à son origine.

Les funérailles de mon père

Dans ses derniers instants, mon père a cru entendre des voix provenant de la chambre d'amis de sa maison – la voix de sa mère, morte alors qu'il n'avait que cinq ans, et celle de son frère, mort quelques années auparavant. Il s'est alors assis, comme pour les rejoindre, et il est mort.

D'une certaine façon, les funérailles japonaises ressemblent à la cérémonie du thé. Nous suivons un ensemble de mouvements décidés plusieurs siècles avant nous. L'atmosphère est tendue et solennelle tandis que nous disons au revoir à la personne défunte tout en tenant compagnie à celles qui sont toujours en vie.

Ma fille, ma mère, ma sœur et moi nous sommes agenouillées à côté du corps de mon père, enroulé dans un tissu blanc et dont le visage était dissimulé sous un voile blanc.

Ma mère a allumé un bâton d'encens et agité une petite cloche qui a résonné dans le silence. Après quelques instants, j'ai imité ses gestes.

Un rayon de soleil a traversé les fenêtres en papier. Dehors, la neige s'amoncelait. Avec douceur, ma mère a annoncé à mon père que sa petite-fille était rentrée à la maison.

Mon père, cet homme strict qui m'a transmis tout ce qu'il savait de la discipline des samouraïs.

Mon père, qui aimait les fleurs et, comme ma mère, aimait jardiner. Il avait toujours dit : « Comme les fleurs, les meilleures choses de la vie sont gratuites ». Il disait aussi : « Un homme qui aime les fleurs ne peut faire le mal ». De nombreuses fleurs décoraient son cercueil.

Nous avons regardé les thanatopracteurs le baigner. Ma fille, ma mère, ma sœur et moi avons délicatement essuyé son visage, puis nous avons observé les professionnels à l'œuvre.

Nous l'avons vêtu de chaussettes *tabi* et de gants blancs que nous avons noués à ses chevilles et à ses poignets. Nous avons soulevé son corps, vêtu d'un kimono blanc, et l'avons déposé dans le cercueil.

Nous y avons également placé une paire de sandales, une canne de marche et un chapeau – afin de protéger sa tête de la neige et son front du soleil – en guise de préparatifs pour son ultime voyage.

Après la crémation, c'était à nous, sa famille, de déposer ses restes dans une urne. Ma fille, ma mère, ma sœur et moi avons récupéré chaque éclat d'os à l'aide de baguettes. Ma fille, qui n'avait jamais assisté à des funérailles japonaises auparavant, m'a confié plus tard qu'elle avait ressenti à la fois de la répulsion et une sorte de sacralité.[59]

Le lendemain matin, ma fille m'a raconté qu'elle avait été réveillée par un corbeau posé sur le toit de la maison de mes parents. Deux autres corbeaux croassaient bruyamment contre ce visiteur indésirable. Ce dernier s'était alors envolé et ma fille avait compris qu'il s'agissait de son grand-père, qui lui disait de se réveiller. Ma mère lui a ensuite expliqué que l'esprit de mon père avait peut-être décidé de revenir dans sa maison pour protéger ses habitantes. Je n'en suis pas sûre. Je sais simplement que, quand on perd une personne, il n'y a rien de surprenant à se découvrir une sensibilité accrue à la spiritualité.

Que mangent les morts au petit-déjeuner ?

À l'heure d'honorer la mémoire du défunt – soit de faire ce qu'il aurait voulu qu'on fasse en cette occasion –, il est parfois

---

59 Pour en apprendre davantage sur les rites funéraires japonais et pour une vision profonde (et parfois très drôle) de la fin de vie, je vous conseille le film japonais *Departures*.

difficile de savoir que faire, justement. Avec les vivants, nous pouvons écouter, observer les expressions du visage et faire de notre mieux pour les aider à se sentir bien. Nous pouvons amener le *chōwa* avec nous à chaque rencontre. Avec les morts, nous avançons à l'aveugle.

Je souhaite maintenant partager avec vous un petit texte que ma fille a rédigé après la mort de mon père. Elle appelle ses grands-parents *Ogiichan* (grand-père) et *Obaachan* (grand-mère), comme il est d'usage au Japon.

Je suis entrée dans la chambre où se trouve la boîte contenant les restes d'Ogiichan. J'ai ouvert les volets. Obaachan a allumé une bougie et un bâton d'encens. J'ai fait de même. J'ai récité une prière. Nous avons toutes les deux regardé l'urne. Nous avons regardé mon grand-père. Obaachan m'a demandé de lui apporter le petit-déjeuner.

— Qu'est-ce qu'on donne à déjeuner à une personne décédée ? lui ai-je demandé.

— Des tartines grillées, m'a-t-elle répondu. C'est ce qu'il mangeait quand il était en vie.

Je suis donc allée préparer des tartines, je les ai déposées sur une assiette que j'ai elle-même placée sur la cheminée. Je l'ai regardée et j'ai ri. C'est étrange de devoir traiter une personne qui n'est plus là comme si elle était toujours présente.

Ensuite, ma tante s'est réveillée et est entrée dans la pièce à vivre. Quand elle a vu les tartines, elle m'a demandé, d'un ton à la fois hésitant et très sec : « P-pourquoi y-a-t-il des tartines sur la cheminée sacrée ?

— C'est son petit-déjeuner, ai-je répondu.

— On ne donne pas de tartines grillées aux morts.

— Obaachan m'a demandé de lui préparer son petit-déjeuner.

Ma tante a baissé la voix.

— C'est « l'esprit » maintenant. Et on lui donne un bol de riz blanc, à l'esprit.

J'ai haussé les épaules.

— Eh bien, tu vas devoir voir ça avec Obaachan. »

Ma tante est donc partie trouver Obaachan pour lui expliquer par A + B les besoins alimentaires des morts. J'ai entendu cette dernière hurler : « Il n'a pas besoin de riz blanc tout chaud ! »

Et ma tante lui crier en retour « Bien sûr que si, c'est un esprit ! »[60]

Il n'existe pas de bonne réaction face au deuil – Nous passons nos vies à chercher l'équilibre, à essayer d'agir de la façon la plus généreuse possible. Mais rien n'apaise la peine causée par la perte d'un être aimé. Et nous avons tous des conceptions différentes de la réponse la plus appropriée dans une telle situation.

Le deuil nous rassemble – Lorsque j'ai rencontré les parents d'enfants morts dans le tsunami de 2011 – des personnes qui avaient tout perdu –, beaucoup étaient animés du désir de venir en aide aux survivants. Quand je demande aux jeunes avec lesquels je travaille ce qu'ils voudraient faire ou devenir plus tard, beaucoup répondent : « Je veux aider ». Chaque fois que je perds une personne que j'aime, ou que j'entends parler de la force que les autres parviennent à puiser dans le deuil, je me rappelle pourquoi je pratique le *chōwa* et pourquoi je m'efforce de vivre en harmonie avec les gens qui m'entourent.

---

60 Ce passage, écrit par ma fille Rimika Solloway, a été édité et publié avec sa permission. Découvrez d'autres de ses textes sur son blog : http://alackthere. blogspot.com/search.

Autorisez-vous à vous faire réconforter – Quand on perd quelqu'un, il devient parfois difficile de garder le contact avec les vivants. Pour nous préserver (et préserver les autres) du pire de la souffrance, on finit par se couper des parties de nous qui, en temps normal, assurent notre sociabilité. Il n'y a pas de bonne ou de mauvaise façon de faire son deuil. Mais quand on se sent prêt, s'autoriser à recevoir la gentillesse des autres et partager avec eux ne serait-ce qu'un peu de notre douleur constitue une étape importante du deuil. En parlant de la mort, on permet à soi-même et aux autres d'apprendre de nos expériences douloureuses. Une fois consolés, on peut aussi transmettre d'importantes leçons. À l'image des deux pèlerins avec lesquels j'ai choisi d'ouvrir cet ouvrage, la clé de la vie en harmonie avec les autres se trouve dans notre capacité à accueillir leurs souffrances autant que leurs joies.

LEÇON DE *CHŌWA* : CHÉRIR CHAQUE RENCONTRE

Asseyez-vous dans un endroit calme et prenez quelques instants, où que vous soyez, pour contempler ces *zengo*.

行 雲 流 水
kō-un-ryū-sui
«Les nuages passent comme de l'eau»

和敬 清寂
wa kei sei jyaku
«Harmonie, respect, pureté, tranquillité»

小欲知足

shōyoku, chi-soku

« Petits désirs, grande satisfaction »

一期一会

ichi-go, ichi-e

« Un instant, une rencontre »

Dans l'esprit du *chōwa*, n'hésitez pas à partager certains de ces *zengo*. Si suivre ces pistes de réflexion vous a été utile dans votre quête de l'équilibre, pourquoi ne pas les transmettre à d'autres, afin d'aider ceux-ci à votre tour ?

POSTFACE

あとがき
ato-gaki

« *Un mois de douceur,*
L'air pur, le vent léger
De blanches fleurs de prunier éclosent
Le parfum d'une orchidée brûle tel de l'encens. »

Man'yōshū, *Livre 561*[61]

Quand j'ai appris à mes amis et à mes élèves que j'aurais soixante ans cette année, tous ont fait de leur mieux pour rester polis (« Akemi-*sensei*, vous ne faites pas vos soixante ans ! »), sans parvenir à chasser la gravité qui envahissait leur visage – on aurait dit qu'une grande tragédie venait d'avoir lieu.

Quand j'ai annoncé la même chose à mes amis japonais, leurs visages se sont éclairés. Les « Félicitations ! » ont fusé de toutes parts. Au Japon, le soixantième anniversaire donne lieu à une grande célébration. L'année calendaire a longtemps suivi le système astrologique chinois, divisé en douze signes (le rat, le bœuf, le tigre, le lapin, le dragon, le serpent, le cheval, la chèvre, le singe, le coq, le chien et le cochon) et de nombreux Japonais

---

61 Le texte japonais est extrait de *Nishi Honganji-bon Man'yōshū* (Livre V). Il est disponible à l'adresse suivante : http://jti.lib.virginia.edu/japanese/manyoshu/index.html.
Ndt : traduction effectuée par la traductrice de l'ouvrage (Il existe une version française, traduite par René Sieffert, intitulée *Recueil de dix mille feuilles* et publiée chez POF, coll. « Unesco d'œuvres représentatives/Poètes du Japon ».

croient toujours que quiconque ayant vécu cinq fois les douze années calendaires (soit soixante ans) renaît. Il n'est donc pas rare que les gens considèrent leur soixantième anniversaire comme l'occasion de commencer un nouveau métier, de partir en pèlerinage ou en voyage – de se réinventer.

Mener notre vie dans la conscience du *chōwa*, c'est savoir que la recherche de l'équilibre est une quête active, une succession de petits changements destinés à nous harmoniser de l'intérieur et à équilibrer nos relations avec les autres et avec la nature.

Peut-être avez-vous l'impression que nous sommes impuissants face à l'âge. Les rides apparaissent sur notre visage. Les maux et les douleurs s'intensifient. Nous nous inquiétons de ce que nous allons faire du reste de notre vie, de ce que nous laisserons derrière nous.

Heureusement, nous avons beau vieillir, nous ne cessons jamais d'apprendre. *Nous apprenons à accepter.* Ce livre incite à agir au mieux pour mettre de l'équilibre là où nous le pouvons, mais aussi à accepter l'harmonie du monde : la marche naturelle des choses. Pour cela, rien de tel qu'économiser notre énergie, car plus nous nous préoccupons de détails et nous mettons en colère pour des broutilles, moins nous avons d'énergie à consacrer à ce qui compte vraiment.

Il existe une expression en japonais, *shou-ga-nai* ou *shikatta-ga-nai.* Cela ne peut être empêché.

Nous ne pouvons changer la nature. Quand un séisme frappe et tue des centaines de personnes, nous pleurons nos disparus. Nous soupirons et disons *shou-ga-nai.* On ne peut rien y faire.

C'est une leçon difficile à avaler, mais la douleur fait partie de la vie. Nous n'avons pas d'autre choix que de la supporter, de l'accepter et d'en tirer des enseignements.

Nous apprenons à ne plus craindre – Quand j'étais une jeune femme et que j'arrivais dans une réunion ou un événement professionnel, j'entendais les murmures autour de moi (« Que fait-elle ici ? »), principalement de la part des hommes. À la suite de la rupture de mon premier mariage et tandis que j'essayais de tracer ma propre voie dans le monde, je les ai même *beaucoup* entendus. Mais plus j'ai affronté ce genre d'opposition – à mon existence, à mes opinions, à ma voix –, plus je me suis endurcie face aux personnes qui voudraient me voir baisser la tête, m'effacer et garder le silence sur des sujets qui m'importent. Dorénavant, lorsque je me tiens dans une pièce, vêtue d'un kimono beaucoup plus sobre que ce que j'aurais choisi dans ma jeunesse, les gens ne me regardent plus de haut. Ils me regardent dans les yeux et voient tout ce que j'ai traversé. Ils savent que je n'ai plus rien à prouver, à personne. Ils savent que je n'ai plus peur.

Nous apprenons à nous rapprocher les uns des autres – Le *chōwa* nous enseigne qu'équilibrer nos vies personnelles, celle des membres de notre famille, le fonctionnement de nos sociétés et la nature requiert une pacification active, une détermination consciente dans la recherche d'information afin de trouver où et comment agir pour rectifier une situation. L'harmonie n'a que faire de la passivité, c'est une action. Qui implique de travailler avec les autres.

En japonais, le caractère « personne » s'écrit comme ceci :

人

hito

Vous allez peut-être trouver qu'il ressemble beaucoup à la lettre « n ». Tout en simplicité. Deux lignes. Comme une petite paire de jambes. Ces deux traits me suggèrent quelque chose de très profondément *chōwa*.

Aucun de nous n'est seul. Nous avons besoin des autres – pour aider, pour trouver notre équilibre. Les gens dépendent les uns des autres. La vie consiste à vivre tous ensemble, et trouver notre équilibre intérieur implique d'aider les autres à trouver le leur.

J'écris ces mots depuis ma maison londonienne, un jour de printemps. C'est le début d'une nouvelle ère, celle de Reiwa. Au Japon, la montée d'un nouvel empereur sur le trône donne naissance à une nouvelle ère. Le nom *Reiwa* provient de l'association de deux caractères présents dans le passage de poésie cité au début de cette dernière partie (« Un mois de douceur... »). Il nous offre un message d'espoir et fait référence à l'adorable spectacle des fleurs qui s'épanouissent après un long hiver. Il peut se traduire par « poursuite de l'harmonie » et suggère – tout comme ce livre l'a fait, du moins je l'espère – qu'il est désormais temps, non plus d'entretenir ou de conserver le *chōwa*, mais de le poursuivre activement : de se remuer et de trouver notre *chōwa*.

C'est la première fois depuis plus de deux siècles qu'un empereur du Japon abdique. À mes yeux, c'est tout un symbole : un vieil homme descend du trône et demande à son fils de prendre sa suite. L'empereur Naruhito et sa femme, l'impératrice Masako, ont étudié en Angleterre. Leur fille, la princesse Aiko, y a passé un été.

Nul doute qu'ils ont beaucoup d'affection pour le pays que j'appelle désormais ma maison. J'ai bon espoir que l'esprit de partenariat harmonieux perdure entre les deux parties de ma vie, entre ces deux pays, entre les nations elles-mêmes, et entre le Japon et le reste du monde.

J'écris ceci tandis que mon association s'apprête à entrer dans une nouvelle phase – aider les victimes du tsunami dans leur quotidien, agir pour la région dans son ensemble, tout en continuant à aider les jeunes avec lesquels nous avons commencé à travailler en 2011 à grandir et à s'épanouir.

J'écris ceci quelques mois à peine avant d'épouser Richard, mon compagnon. Nous avons hâte de nous marier, de profiter de notre lune de miel à Boston avant de partir plus tard cette année en pèlerinage le long des chemins du Kumano Kodo, dans les profondeurs des forêts de Wakamaya.

C'est grâce à lui que j'ai écrit ce livre. Plus je lui en disais sur la culture japonaise, plus il m'encourageait : « Tu devrais vraiment écrire tout ça. »

Chance. Destin. Amour. Nous créons notre propre harmonie.

REMERCIEMENTS

Je voudrais remercier mon merveilleux agent, Laetitia Rutheford.

Je souhaite également remercier mon éditrice chez Headline Books, Anna Steadman, pour son aide et son soutien ainsi que celui de toute l'équipe de chez Headline.

Et bien sûr, je remercie mon mari Richard Pennington et ma fille Rimika Solloway, sans lesquels ce livre n'aurait pas été possible.

RÉFÉRENCES

CHIBA, Fumiko (2018), *Kakeibo : L'art d'économiser à la japonaise.* Marabout.

CLIFFE, Sheila (2017), *The Social Life of Kimono: Japanese fashion past and present.* Bloomsbury.

CUMMINGS, Alan (2014), *Haiku: Love.* Overlook Press.

DOWER, John W. (1986), *War without Mercy: Race and power in the Pacific war.* Pantheon Books.

DOWER, John W. (1999), *Embracing Defeat: Japan in the wake of World War II.* W. W. Norton & Co.

KEMPTON, Beth, W*abi Sabi : le bonheur est dans l'imperfection.* Marabout, 2019.

KONDO, Marie (2016), *La Magie du rangement.* Pocket. (Trad. du japonais par Christophe Billon.)

LLOYD PARRY, Richard (2018), *Les fantômes du tsunami.* Payot. (Trad. de l'anglais par Pierre Reignier.)

NITOBE, Inazō (2018), *Le Bushidō, l'âme du Japon.* Hachette BnF. (Traduction française de Charles Jacob.)

REBICK, Marcus and Takenaka, Ayumi (2006), *The Changing Japanese Family*. Routledge.

ROSENBERGER, Nancy R. (ed.) (1992), *Japanese Sense of Self*. Cambridge University Press.

SASAKI, Fumio (2017), *L'essentiel et rien d'autre : L'art du minimalisme pour retrouver sa liberté d'être*. Guy Trédaniel Éditeur. (Traduction française par Elias Nongue.)

SHIKUBU, Murasaki (2001), *Le Dit du Genji*. Publications Orientalistes de France. (Trad. du japonais par René Sieffert.)

SHŌNAGON, Sei (1966), *Notes de chevet*. Gallimard. (Trad. du japonais par André Beaujard.)

STANLEY-BAKER, Joan (1990), *L'art japonais*. Thames & Hudson. (Trad. de Jacqueline Didier.)

TANIZAKI, Jun'ichirō (2011), *Éloge de l'ombre*. Verdier. (Trad. du japonais par René Sieffert.)

TOBIN, Joseph (1999), « *'Japanese pre-schools and the pedagogy of self-hood* »'. In Nancy R. Rosenberger (ed.), *Japanese Sense of Self*. Cambridge University Press.

TSUNODA, Ryūsaku with Goodrich, L. Carrington (1951), *Japan in the Chinese Dynastic Histories: Later Han through Ming dynasties*. P.D. and I. Perkins.

ZARASKA, Marta (2016), *Meathooked: The history and science of our 2.5-million-year obsession with meat*. Basic Books.

SOURCES JAPONAISES

松尾 芭蕉 (1947), 芭蕉俳句全集. 全國書房
Bashō, Matsuo (1947), *Bashō haiku zenshū*. Zenkoku Shobō.

佐々木 信綱 (1953),日本古典全書. 朝日新聞社
Sasaki, Nobutsuna (ed.) (1953), *Nihon koten zensho*. Asahi Shimbunshya.

佐々木 信綱 (1946), 西本願寺本萬葉集. 東京書房古典文庫.
Sasaki, Nobutsuna (ed.) (1946), *Nishi Honganji-bon Man'yōshū*. Tokyo Shobo Koten Bunko. http://jti.lib.virginia.edu/japanese/manyoshu/index.html.

聖徳太子 (604) 十七條憲法
Shōtoku, Taishi (604), *Jūshichijō kenpō*. At: https://zh.wikisource.org/zh/十七條憲法.

笹間 良彦 (1995), 復元 江戸生活図鑑. 柏書房
Sasama, Yoshihiko (1995), *Fukugen edo seikatsu zukan*. Kashiwa Shobō.

石川英輔 (2000), 大江戸えこらじー事情. 講談社
Ishikawa, Eisuke (2000), *O-edo ekoraji jijō*. Kodansha.

FILMS

Akahama Rock'n Roll [documentaire], réal. Haruko Konishi (2015)

My Fair Lady, réal. George Cukor (1964)

Mononoke-hime (Princesse Mononoké), réal. Hayao Miyazaki, Japon (1997)

Japan's Secret Shame, réal. Erica Jenkin avec Shiori Ito (2018)

Okuribito (*Departures*), réal. Yōjirō Takita (2008)

Shichinin no samurai (Les Sept Samouraïs), réal. Akira Kurosawa (1954)